书画题跋实用手册

方燕燕 编

上海辞书出版社

图书在版编目（CIP）数据

书画题跋实用手册 / 方燕燕编 .—上海：上海辞书出版社，2012.6（2022.6 重印）
ISBN 978-7-5326-3729-4

Ⅰ.①书… Ⅱ.①方… Ⅲ.①法书—题跋—中国—选集 ②绘画—题跋—中国—选集 Ⅳ.① J292 ② J222

中国版本图书馆 CIP 数据核字（2012）第 070520 号

统　　筹　刘毅强
责任编辑　赵寒成
助理编辑　钱莹科
装帧设计　刘和菲

书画题跋实用手册
方燕燕　编
上海世纪出版集团
上 海 辞 书 出 版 社　出版、发行
（上海市闵行区号景路 159 弄 B 座　邮政编码　201101）
电话：021—62472088
www.ewen.cc　www.cishu.com.cn
苏州越洋印刷有限公司印刷
开本 889 毫米 ×1194 毫米　1/32　印张 10.25　字数 197 000
2012 年 6 月第 1 版　2022 年 6 月第 7 次印刷
ISBN 978-7-5326-3729-4/J · 343
定价：36.00 元

如发生印刷、装订质量问题，读者可向工厂调换
联系电话：0512-68180638

前言

中国画尤其是卷轴画自诞生之始，原本并没有题诗或题字，大多只落一名款，而且多在角落。后经过宋代苏东坡、李公麟、元代赵孟頫等大力倡导，文人画逐渐成为中国画的主流，文人的介入赋予中国画更多意蕴，绘画再不单纯是一种技艺，而是文人抒发胸怀、修身养性的一种途径，更是一种相互唱和的雅玩逸趣。故而即便是寥寥几笔的一抹远山，抑或是精描细绘的花卉，加上优雅之辞藻，潇洒之书法，往往被世人称赞为「三绝」(诗书画)。由此，在画上题跋逐渐成为中国画的一部分，若画上没有了书法诗文倒会让人觉得奇怪，少了些许雅趣。

题跋牵涉到的范围很广，如作者的自题，包括自己的姓名、字号、籍贯、纪年、作画的缘由以及创作感想；还有观者的题，或论画的渊源，或论画之优劣，更或随笔感思，不一而足；再有庋藏者也会留下自己的跋语。正是通过这些题跋文字，我们方能对传统艺术有更加深层次的理解。

自「五四」国人提倡白话文以来，人们虽然依旧学习古文，但是现代文学和语言体系已与古代发生了明显的变化，每当画者想在自己的作品上写上几句雅致的诗词文赋往往会难以言表，若只是在作品上落个穷款又显得过于简单。正是基于此，才有了本书的产生，编者长期在上海工程技术大学从事相关艺术教育工作，平时对此较为留心。为了方便书画家和喜好者随时随地可以挥毫题跋，编者分门别类地收集了大量历代诗词和画跋，按照山水、花鸟、人物三大类编排，而后细分，总记分成九类，如花鸟部分包括花草、树木、瓜果蔬菜、飞鸟家禽、鱼虫走兽等五类，然后每部分再细分，如花草部分就包括了梅花、兰花、桃李、牡丹、荷花、桂花等二十二种。这样，书画家和喜好者可以根据自己的作品内容迅速查找到自己所需的题画文字，将之题在作品上，定可令作品增色不少；即便是不用之于题画，亦可随身携带，闲时翻阅，对提高自身修养也有所帮助。

编者不揣简陋，希望能给诸多读者提供些许方便。

目录

山水风光

【春】

春日迟迟，卉木萋萋。仓庚喈喈，采蘩祁祁。

——先秦·无名氏《诗经·小雅·出车》

独有宦游人，偏惊物候新。云霞出海曙，梅柳渡江春。淑气催黄鸟，晴光转绿苹。忽闻歌古调，归思欲沾襟。

——唐·杜审言《和晋陵陆丞早春游望》

春眠不觉晓，处处闻啼鸟。夜来风雨声，花落知多少。

——唐·孟浩然《春晓》

二月湖水清，家家春鸟鸣。林花扫更落，径草踏还生。酒伴来相命，开尊共解醒。当杯已入手，歌妓莫停声。

——唐·孟浩然《春中喜王九相寻》

道由白云尽，春与青溪长。时有落花至，远随流水香。闲门向山路，深柳读书堂。幽映每白日，清辉照衣裳。

——唐·刘昚虚《阙题》

红豆生南国，春来发几枝。愿君多采撷，此物最相思。

——唐·王维《相思》

渭城朝雨浥轻尘，客舍青青柳色新。劝君更尽一杯酒，西出阳关无故人。

——唐·王维《送元二使安西》

燕草如碧丝，秦桑低绿枝。当君怀归日，是妾断肠时。春风不相识，何事入罗帏？

——唐·李白《春思》

雨后烟景绿，晴天散余霞。东风随春归，发我枝上花。花落时欲暮，见此令人嗟。愿游名山去，学道飞丹砂。

——唐·李白《落日忆山中》

咸阳二三月，宫柳黄金枝。绿帻谁家子，卖珠轻薄儿。日暮醉酒归，白马骄且驰。意气人所仰，冶游方及时。

——唐·李白《送祁昂谪巴中》

天津三月时，千门桃与李。朝为断肠花，暮逐东流水。前水复后水，古今相续流。新人非旧人，年年桥上游。

——唐·李白《古风》

寒雪梅中尽，春风柳上归。宫莺娇欲醉，檐燕语还飞。迟日明歌席，新花艳舞衣。晚来移彩仗，行乐泥光辉。

——唐·李白《宫中行乐词》

柳色黄金嫩，梨花白雪香。玉楼巢翡翠，金殿锁鸳鸯。选妓随雕辇，征歌出洞房。宫中谁第一，飞燕在昭阳。

——唐·李白《宫中行乐词》

闻道春还未相识，走傍寒梅访消息。

昨夜东风入武阳，陌头杨柳黄金色。

——唐·李白《早春寄王汉阳》

门生故来往，知欲命浮觞。忽奉朝青阁，回车入上阳。

落花满春水，疏柳映新塘。是日归来暮，劳君奏雅章。

——唐·储光羲《答王十三维》

肃肃花絮晚，菲菲红素轻。日长唯鸟雀，春远独柴荆。

——唐·杜甫《春远》

国破山河在，城春草木深。感时花溅泪，恨别鸟惊心。

烽火连三月，家书抵万金。白头搔更短，浑欲不胜簪。

——唐·杜甫《春望》

江汉春风起，冰霜昨夜除。云天犹错莫，花萼尚萧疏。

对酒都疑梦，吟诗正忆渠。旧时元日会，乡党羡吾庐。

——唐·杜甫《远怀舍弟颖、观等》

二月已破三月来，渐老逢春能几回。
莫思身外无穷事，且尽生前有限杯。

——唐·杜甫《漫兴》

眼见客愁愁不醒，无赖春色到江亭。
即遣花开深造次，便教莺语太丁宁。

——唐·杜甫《漫兴》

肠断江春欲尽头，杖藜徐步立芳洲。
颠狂柳絮随风去，轻薄桃花逐水流。

——唐·杜甫《漫兴》

城上春云覆苑墙，江亭晚色静年芳。
林花著雨胭脂湿，水荇牵风翠带长。
龙武新军深驻辇，芙蓉别殿漫焚香。
何时诏此金钱会，暂醉佳人锦瑟旁。

——唐·杜甫《曲江对雨》

水绕冰渠渐有声，气融烟坞晚来明。
东风好作阳和使，逢草逢花报发生。

——唐·钱起《春郊》

宜阳城下草萋萋，涧水东流复向西。
芳树无人花自落，春山一路鸟空啼。

——唐·李华《春行寄兴》

西塞山前白鹭飞，桃花流水鳜鱼肥。

青箬笠，绿蓑衣，斜风细雨不须归。

——唐·张志和《渔歌子》

苏溪亭上草漫漫，谁倚东风十二阑？
燕子不归春事晚，一汀烟雨杏花寒。

——唐·戴叔伦《苏溪亭》

诗家清景在新春，绿柳才黄半未匀。
若待上林花似锦，出门俱是看花人。

——唐·杨巨源《城东早春》

烟水初销见万家，东风吹柳万条斜。
大堤欲上谁相伴，马踏春泥半是花。

——唐·窦巩《襄阳寒食寄宇文籍》

长江春水绿堪染，莲叶出水大如钱。
江头橘树君自种，那不长系木兰船。

——唐·张籍《春别曲》

孤山寺北贾亭西，水面初平云脚低。
几处早莺争暖树，谁家新燕啄春泥。
乱花渐欲迷人眼，浅草才能没马蹄。
最爱湖东行不足，绿杨阴里白沙堤。

——唐·白居易《钱塘湖春行》

江南好，风景旧曾谙。日出江花红似火，春来江水绿如蓝。能不忆江南？

——唐·白居易《钱塘湖春行》

草树知春不久归，百般红紫斗芳菲。

杨花榆荚无才思，惟解漫天作雪飞。

——唐·韩愈《晚春》

天街小雨润如酥，草色遥看近却无。
最是一年春好处，绝胜烟柳满皇都。

——唐·韩愈《早春呈水部张十八员外》

洛阳东风几时来，川波岸柳春全回。
宫门一锁不复启，虽有九陌无尘埃。

——唐·韩愈《感春》

一夜好风吹，新花一万枝。风前调玉管，花下簇金羁。

——唐·令狐楚《春游曲》

弱柳千条杏一枝，半含春雨半垂丝。
景阳寒井人难到，长乐晨钟鸟自知。
花影至今通博望，树名从此号相思。
分明十二楼前月，不向西陵照盛姬。

——唐·温庭筠《题望苑驿》

千里莺啼绿映红，水村山郭酒旗风。
南朝四百八十寺，多少楼台烟雨中。

——唐·杜牧《江南春》

自是寻春去校迟，不须惆怅怨芳时。
狂风落尽深红色，绿叶成阴子满枝。

——唐·杜牧《怅诗》

飒飒东风细雨来，芙蓉塘外有轻雷。

金蟾啮锁烧香入，玉虎牵丝汲井回。
贾氏窥帘韩掾少，宓妃留枕魏王才。
春心莫共花争发，一寸相思一寸灰。
——唐·李商隐《无题》

洛阳城里春光好，洛阳才子他乡老。柳暗魏王堤，此时心转迷。
桃花春水渌，水上鸳鸯浴。凝恨对残晖，忆君君不知。
——唐·韦庄《菩萨蛮》

柳带东风一向斜，春阴澹澹蔽人家。
有时三点两点雨，到处十枝五枝花。
——唐·李山甫《寒食》

寂寂画堂梁上燕，高卷翠帘横数扇。
一庭春色恼人来，满地落花红几片。
——五代·魏承班《玉楼春》

谁道闲情抛掷久，每到春来，惆怅还依旧。
日日花前常病酒，不辞镜里朱颜瘦。
——五代·冯延巳《鹊踏枝》

烦恼韶光能几许，肠断魂消，看却春还去。
只喜墙头灵鹊语，不知青鸟全相误。
——五代·冯延巳《鹊踏枝》

寻春须是先春早，看花莫待花枝老。缥色玉柔擎，醅浮盏面清。
何妨频笑粲，禁苑春归晚。同醉与闲平，诗随羯鼓成。

——五代·李煜《子夜歌》

林花谢了春红，太匆匆，无奈朝来寒雨晚来风。胭脂泪，相留醉，几时重？自是人生长恨水长东。

——五代·李煜《相见欢》

帘外雨潺潺，春意阑珊。罗衾不耐五更寒。梦里不知身是客，一晌贪欢。独自莫凭栏，无限江山，别时容易见时难。流水落花春去也，天上人间。

——五代·李煜《浪淘沙》

春花秋月何时了，往事知多少。小楼昨夜又东风，故国不堪回首月明中。雕栏玉砌应犹在，只是朱颜改。问君能有几多愁，恰似一江春水向东流。

——五代·李煜《虞美人》

城上风光莺语乱，城下烟波春拍岸。
绿杨芳草几时休？泪眼愁肠先已断。

——宋·钱惟演《木兰花》

行到东溪看水时，坐临孤屿发船迟。
野凫眠岸有闲意，老树着花无丑枝。

——宋·梅尧臣《东溪》

庭院深深深几许，杨柳堆烟，帘幕无重数。
玉勒雕鞍游冶处，楼高不见章台路。
雨横风狂三月暮，门掩黄昏，无计留春住。

泪眼问花花不语，乱红飞过秋千去。
——宋·欧阳修《蝶恋花》

春阴垂野草青青，时有幽花一树明。
晚泊孤舟古祠下，满川风雨看潮生。
——宋·苏舜钦《淮中晚泊犊头》

金炉香尽漏声残，翦翦轻风阵阵寒。
春色恼人眠不得，月移花影上栏干。
——宋·王安石《春夜》

竹外桃花三两枝，春江水暖鸭先知。
蒌蒿满地芦芽短，正是河豚欲上时。
——宋·苏轼《惠崇春江晚景》

今年春浅腊侵年，冰雪破春妍。
东风有信无人见，露微意、柳际花边。
寒夜纵长，孤衾易暖，钟鼓渐清圆。
——宋·苏轼《一丛花》

青青园中葵，朝露待日晞。阳春布德泽，万物生光辉。
——宋·郭茂倩《乐府诗集·长歌行》

半世交亲随逝水，几人图画入凌烟。
春风春雨花经眼，江北江南水拍天。
——宋·黄庭坚《次元明韵寄子由》

水边沙外，城郭春寒退。花影乱，莺声碎。飘零疏酒盏，离别宽衣带。人不见，碧云暮合空相对。

——宋·秦观《千秋岁》

春路雨添花，花动一山春色。行到小溪深处，有黄鹂千百。
飞云当面化龙蛇，夭矫转空碧。醉卧古藤阴下，了不知南北。

——宋·秦观《好事近》

问春何苦匆匆，带风伴雨如驰骤。幽葩细萼，小园低槛，壅培未就。吹尽繁红，占春长久，不如垂柳。算春长不老，人愁春老，愁只是、人间有。

——宋·晁补之《水龙吟》

晚步芳塘新霁后。春意潜来，迤逦通窗牖。
午睡渐多浓似酒。韶华已入东君手。
嫩绿轻黄成染透。烛下工夫，泄漏章台秀。
拟插芳条须满首。管交风味还胜旧。

——宋·周邦彦《蝶恋花》

寻寻觅觅，冷冷清清，凄凄惨惨戚戚。乍暖还寒时候，最难将息。
三杯两盏淡酒，怎敌他、晚来风急？雁过也，正伤心，却是旧时相识。

——宋·李清照《声声慢》

卖花担上，买得一枝春欲放。泪染轻匀，犹带彤霞晓露痕。
怕郎猜道，奴面不如花面好。云鬓斜簪，徒要教郎比并看。

——宋·李清照《减字木兰花》

一春常是雨和风，风雨晴时春已空。
谁惜泥沙万点红。恨难穷，恰似衰翁一世中。

——宋·陆游《豆叶黄》

红酥手，黄藤酒，满城春色宫墙柳。
东风恶，欢情薄，一怀愁绪，几年离索。错，错，错！
春如旧，人空瘦，泪痕红浥鲛绡透。
桃花落，闲池阁，山盟虽在，锦书难托。莫，莫，莫！

——宋·陆游《钗头凤》

胜日寻芳泗水滨，无边光景一时新。
等闲识得东风面，万紫千红总是春。

——宋·朱熹《春日》

更能消、几番风雨，匆匆春又归去。
惜春长怕花开早，何况落红无数。春且住！
见说道、天涯芳草无归路。怨春不语。
算只有殷勤，画檐蛛网，尽日惹飞絮。

——宋·辛弃疾《摸鱼儿》

昨日春如十三女儿学绣。一枝枝、不教花瘦。
甚无情，便下得、雨僝风僽。向园林、铺作地衣红绉。
而今春似轻薄荡子难久。记前时、送春归后。
把春波都酿作、一江醇酎。约清愁、杨柳岸边相候。

——宋·辛弃疾《粉蝶儿》

敲碎离愁，纱窗外、风摇翠竹。人去后、吹箫声断，倚楼人独。

满眼不堪三月暮，举头已觉千山绿。但试将、一纸寄来书，从头读。

——宋·辛弃疾《满江红》

池草抽新碧，山桃褪小红。寻春闲过小园东。春在乱花深处、鸟声中。

游镫归敲月，春衫醉舞风。谁家三弄学元戎。吹起闲愁，容易上眉峰。

——宋·陈亮《南歌子》

双螺未合，双蛾先敛，家在碧云西。

别母情怀，随郎滋味，桃叶渡江时。

扁舟载了，匆匆归去，今夜泊前溪。

杨柳津头，梨花墙外，心事两人知。

——宋·姜夔《少年游》

淮左名都，竹西佳处，解鞍少驻初程。过春风十里，尽荠麦青青。自胡马窥江去后，废池乔木，犹厌言兵。渐黄昏，清角吹寒，都在空城。

——宋·姜夔《扬州慢》

空城晓角，吹入垂杨陌。马上单衣寒恻恻。

看尽鹅黄嫩绿，都是江南旧相识。

正岑寂，明朝又寒食。强携酒、小桥宅。怕梨花落尽成秋色。燕燕飞来，问春何在，唯有池塘自碧。

——宋·姜夔《淡黄柳》

春山暖日和风，阑干楼阁帘栊。杨柳秋千院中。

啼莺舞燕，小桥流水飞红。

——元·白朴《天净沙·春》

【夏】

草庐寄穷巷，甘以辞华轩。正夏长风急，林室顿烧燔。
一宅无遗宇，舫舟荫门前。迢迢新秋夕，亭亭月将圆。

——魏晋·陶渊明《戊申岁六月中遇火》

首夏犹清和，芳草亦未歇。水宿淹晨暮，阴霞屡兴没。
周览倦瀛壖，况乃陵穷发。川后时安流，天吴静不发。

——南北朝·谢灵运《游赤石进帆海》

故人具鸡黍，邀我至田家。绿树村边合，青山郭外斜。
开轩面场圃，把酒话桑麻。待到重阳日，还来就菊花。

——唐·孟浩然《过故人庄》

清江一曲抱村流，长夏江村事事幽。
自去自来梁上燕，相亲相近水中鸥。

——唐·杜甫《江村》

舍西柔桑叶可拈，江畔细麦复纤纤。
人生几何春已夏，不放香醪如蜜糖。

——唐·杜甫《漫兴》

永日不可暮，炎蒸毒我肠。安得万里风，飘飖吹我裳。

昊天出华月，茂林延疏光。仲夏苦夜短，开轩纳微凉。
虚明见纤毫，羽虫亦飞扬。物情无巨细，自适固其常。
念彼荷戈士，穷年守边疆。何由一洗濯，执热互相望。
竟夕击刁斗，喧声连万方。青紫虽被体，不如早还乡。
北城悲笳发，鹳鹤号且翔。况复烦促倦，激烈思时康。

——唐·杜甫《夏夜叹》

荷叶藏鱼艇，藤花罥客簪。残云收夏暑，新雨带秋岚。
失路情无适，离怀思不堪。赖兹庭户里，别有小江潭。

——唐·岑参《水亭送华阴王少府还县》

松下茅亭五月凉，汀沙云树晚苍苍。
行人无限秋风思，隔水青山似故乡。

——唐·戴叔伦《题稚川山水》

田家少闲月，五月人倍忙。夜来南风起，小麦覆陇黄。
妇姑荷箪食，童稚携壶浆。相随饷田去，丁壮在南冈。
足蒸暑土气，背灼炎天光。力尽不知热，但惜夏日长。
复有贫妇人，抱子在其旁。右手秉遗穗，左臂悬敝筐。

听其相顾言，闻者为悲伤。家田输税尽，拾此充饥肠。今我何功德？曾不事农桑。吏禄三百石，岁晏有余粮。念此私自愧，尽日不能忘。

——唐·白居易《观刈麦》

人皆苦炎热，我爱夏日长。

——唐·李昂《夏日联句》

深居俯夹城，春去夏犹清。天意怜幽草，人间重晚晴。并添高阁迥，微注小窗明。越鸟巢干后，归飞体更轻。

——唐·李商隐《晚晴》

绿树阴浓夏日长，楼台倒影入池塘。水晶帘动微风起，满架蔷薇一院香。

——唐·高骈《山亭夏日》

放生鱼鳖逐人来，无主荷花到处开。水枕能令山俯仰，风船解与月徘徊。

——宋·苏轼《望湖楼醉书》

绿槐高柳咽新蝉，薰风初入弦。碧纱窗下水沉烟，棋声惊昼眠。微雨过，小荷翻，榴花开欲然。玉盆纤手弄清泉，琼珠碎却圆。

——宋·苏轼《阮郎归·初夏》

节物相催各自新，痴心儿女挽留春。

芳菲歇去何须恨，夏木阴阴正可人。

——宋·秦观《三月晦日偶题》

窗间梅熟落蒂，墙下笋成出林。
连雨不知春去，一晴方觉夏深。

——宋·范成大《喜晴》

梅子留酸软齿牙，芭蕉分绿与窗纱。
日长睡起无情思，闲看儿童捉柳花。

——宋·杨万里《闲居初夏午睡起》

毕竟西湖六月中，风光不与四时同。
接天莲叶无穷碧，映日荷花别样红。

——宋·杨万里《晓出净慈寺送林子方》

明月别枝惊鹊，清风半夜鸣蝉。稻花香里说丰年，听取蛙声一片。七八个星天外，两三点雨山前。旧时茅店社林边，路转溪桥忽见。

——宋·辛弃疾《西江月·夜行黄沙道中》

天地一大窑，阳炭烹六月。万物此陶镕，人何怨炎热。君看百谷秋，亦自暑中结。田水沸如汤，背汗湿如泼。农夫方夏耘，安坐吾敢食！

——宋·戴复古《大热·一》

左手遮赤日，右手招清风。挥汗不能已，扇笠竟要功。南山龙吐云，腾腾满虚空。一雨变清凉，万物随疏通。向人无德色，大哉造化工。

——宋·戴复古《大热·二》

吾家老茅屋，破漏尚可住。门前五巨樟，枝叶龙蛇舞。

半空隔天日，六月不知暑。西照坐东偏，南熏开北户。胡为舍是居，受此炮炙苦。

——宋·戴复古《大热·三》

大渴遇甘井，汲多井欲竭。入喉化为汗，不救胸中热。

吾闻三危露，迥与众水别。其色莹琉璃，其冷胜冰雪。安得一杯来，为我解此渴。

——宋·戴复古《大热·四》

天嗔吾面白，晒作铁色深。天能黑我面，岂能黑我心。

我心有冰雪，不受暑气侵。推去北窗枕，思鼓南风琴。千古叫虞舜，遗我以好音。

——宋·戴复古《大热·五》

绿遍山原白满川，子规声里雨如烟。

乡村四月闲人少，才了蚕桑又插田。

——宋·翁卷《乡村四月》

云收雨过波添，楼高水冷瓜甜。绿树阴垂画檐。

纱厨藤簟，玉人罗扇轻缣。

——元·白朴《天净沙·夏》

【秋】

帝子降兮北渚，目眇眇兮愁予。袅袅兮秋风，洞庭波兮木叶下。

登白薠兮骋望，与佳期兮夕张。鸟何萃兮苹中，罾何为兮木上？

——春秋战国·屈原《九歌·湘夫人》

悲哉！秋之为气也。萧瑟兮草木摇落而变衰。憭栗兮若在远行，登山临水兮送将归。泬寥兮天高而气清，寂寥兮收潦而水清。憯凄增欷兮薄寒之中人，怆怳懭悢兮去故而就新。坎廪兮贫士失职而志不平，廓落兮羁旅而无友生。惆怅兮而私自怜。燕翩翩其辞归兮，蝉寂漠而无声。雁廱廱而南游兮，鹍鸡啁哳而悲鸣。独申旦而不寐兮，哀蟋蟀之宵征。时亹亹而过中兮，蹇淹留而无成。

——春秋战国·宋玉《九辩》

秋风起兮白云飞，草木黄落兮雁南归。
兰有秀兮菊有芳，怀佳人兮不能忘。
泛楼船兮济汾河，横中流兮扬素波。
箫鼓鸣兮发棹歌，欢乐极兮哀情多。
少壮几时兮奈老何！

——汉·刘彻《秋风辞》

东临碣石，以观沧海。水何澹澹，山岛竦峙。
树木丛生，百草丰茂。秋风萧瑟，洪波涌起。
日月之行，若出其中。星汉灿烂，若出其里。
幸甚至哉，歌以咏志。

——魏晋・曹操《观沧海》

秋风萧瑟天气凉，草木摇落露为霜。群燕辞归雁南翔，念君客游思断肠。慊慊思归恋故乡，君何淹留寄他方？贱妾茕茕守空房，忧来思君不敢忘，不觉泪下沾衣裳。

——魏晋・曹丕《燕歌行》

穷居寡人用，时忘四运周。桐庭多落叶，慨然知已秋。新葵郁北牖，嘉穟养南畴。今我不为乐，知有来岁不？ 命室携童弱，良日登远游。

——魏晋・陶渊明《酬刘柴桑》

清波收潦日，华林鸣籁初。芙蓉露下落，杨柳月中疏。燕帏缃绮被，赵带流黄裾。相思阻音息，结梦感离居。

——南北朝・梁・萧悫《秋思》

东皋薄暮望，徙倚欲何依。树树皆秋色，山山唯落晖。牧人驱犊返，猎马带禽归。相顾无相识，长歌怀采薇。

——唐・王绩《野望》

时维九月，序属三秋。潦水尽而寒潭清，烟光凝而暮山紫。

——唐・王勃《滕王阁序》

虹销雨霁，彩彻云衢。落霞与孤鹜齐飞，秋水共长天一色。

——唐·王勃《滕王阁序》

桂林风景异，秋似洛阳春。晚霁江天好，分明愁杀人。卷云山觺觺，碎石水磷磷。世业事黄老，妙年孤隐沦。

——唐·宋之问《始安秋日》

木落雁南度，北风江上寒。我家襄水曲，遥隔楚云端。乡泪客中尽，孤帆天际看。迷津欲有问，平海夕漫漫。

——唐·孟浩然《早寒江上有怀》

愁因薄暮起，兴是清秋发。时见归村人，沙行渡头歇。天边树若荠，江畔舟如月。何当载酒来，共醉重阳节。

——唐·孟浩然《秋登兰山寄张五》

金井梧桐秋叶黄，珠帘不卷夜来霜。熏笼玉枕无颜色，卧听南宫清漏长。

——唐·王昌龄《长信秋词》

荆溪白石出，天寒红叶稀。山路元无雨，空翠湿人衣。

——唐·王维《阙题》

空山新雨后，天气晚来秋。明月松间照，清泉石上流。竹喧归浣女，莲动下渔舟。随意春芳歇，王孙自可留。

——唐·王维《山居秋暝》

寒山转苍翠，秋水日潺湲。倚杖柴门外，临风听暮蝉。渡头余落日，墟里上孤烟。复值接舆醉，狂歌五柳前。

——唐·王维《辋川闲居赠裴秀才迪》

桂魄初生秋露微，轻罗已薄未更衣。银筝夜久殷勤弄，心怯空房不忍归。

——唐·王维《秋夜曲》

长安一片月，万户捣衣声。秋风吹不尽，总是玉关情。何日平胡虏，良人罢远征。

——唐·李白《子夜吴歌》

秋色无远近，出门尽寒山。白云遥相识，待我苍梧间。借问卢耽鹤，西飞几岁还。

——唐·李白《赠卢司户》

江城如画里，山晓望晴空。雨水夹明镜，双桥落彩虹。人烟寒橘柚，秋色老梧桐。谁念北楼上，临风怀谢公。

——唐·李白《秋登宣城谢朓北楼》

秋露白如玉，团团下庭绿。我行忽见之，寒早悲岁促。

人生鸟过目，胡乃自结束。景公一何愚，牛山泪相续。

——唐·李白《古风》

弃我去者，昨日之日不可留；乱我心者，今日之日多烦忧。长风万里送秋雁，对此可以酣高楼。蓬莱文章建安骨，中间小谢又清发。俱怀逸兴壮思飞，欲上青天揽明月。抽刀断水水更流，举杯销愁愁更愁。人生在世不称意，明朝散发弄扁舟。

——唐·李白《宣州谢朓楼饯别校书叔云》

双扉碧峰际，遥向夕阳开。飞锡方独往，孤云何事来。寒潭映白月，秋雨上青苔。相送东郊外，羞看骢马回。

——唐·刘长卿《游休禅师双峰寺》

佳士欣相识，慈颜望远游。甘从投辖饮，肯作置书邮。

高鸟黄云暮，寒蝉碧树秋。湖南冬不雪，吾病得淹留。

——唐·杜甫《晚秋长沙蔡五侍御饮筵》

易识浮生理，难教一物违。水深鱼极乐，林茂鸟知归。

吾老甘贫病，荣华有是非。秋风吹几杖，不厌此山薇。

——唐·杜甫《秋野》

千家山郭静朝晖，日日江楼坐翠微。信宿渔人还泛泛，清秋燕子故飞飞。

——唐·杜甫《秋兴》

瞿塘峡口曲江头，万里风烟接素秋。花萼夹城通御气，芙蓉小苑入边愁。

——唐·杜甫《秋兴》

风急天高猿啸哀，渚清沙白鸟飞回。无边落木萧萧下，不尽长江滚滚来。万里悲秋常作客，百年多病独登台。艰难苦恨繁霜鬓，潦倒新停浊酒杯。

——唐·杜甫《登高》

平津东阁在，别是竹林期。万叶秋声里，千家落照时。门随深巷静，窗过远钟迟。客位苔生处，依然又赋诗。

——唐·钱起《题苏公林亭》

仲秋至东郡，遂见天雨霜。昨日梦故山，蕙草色已黄。平明辞铁丘，薄暮游大梁。仲秋萧条景，拔刺飞鹅鸧。

——唐·岑参《至大梁却寄匡城主人》

白露披梧桐，玄蝉昼夜号。秋风万里动，日暮黄云高。君子佐休明，小人事蓬蒿。所适在鱼鸟，焉能徇锥刀。

——唐·岑参《巩北秋兴寄崔明允》

月落乌啼霜满天，江枫渔火对愁眠。
姑苏城外寒山寺，夜半钟声到客船。

——唐·张继《枫桥夜泊》

宿雨朝来歇，空山秋气清。盘云双鹤下，隔水一蝉鸣。
古道黄花落，平芜赤烧生。茂陵虽有病，犹得伴君行。

——唐·李端《茂陵山行陪韦金部》

洛阳城里见秋风，欲作家书意万重。
复恐匆匆说不尽，行人临发又开封。

——唐·张籍《秋思》

自古逢秋悲寂寥，我言秋日胜春朝。
晴空一鹤排云上，便引诗情到碧霄。

——唐·刘禹锡《秋词》

山明水净夜来霜，数树深红出浅黄。
试上高楼清入骨，岂如春色嗾人狂。

——唐·刘禹锡《秋词》

湖光秋月两相和，潭面无风镜未磨。
遥望洞庭山水翠，白银盘里一青螺。

——唐·刘禹锡《望洞庭》

雨径绿芜合，霜园红叶多。萧条司马宅，门巷无人过。唯对大江水，秋风朝夕波。

——唐·白居易《司马宅》

秋声无不搅离心，梦泽蒹葭楚雨深。
自滴阶前大梧叶，干君何事动哀吟？

——唐·杜牧《齐安郡中偶题》

竹坞无尘水槛清，相思迢递隔重城。
秋阴不散霜飞晚，留得枯荷听雨声。

——唐·李商隐《宿骆氏亭寄怀崔雍崔衮》

事事不求奢，长吟省叹嗟。无才堪世弃，有句向谁夸。
老树呈秋色，空池浸月华。凉风白露夕，此境属诗家。

——唐·刘得仁《池上宿》

菡萏香销翠叶残，西风愁起绿波间。还与韶光共憔悴，不堪看。
细雨梦回鸡塞远，小楼吹彻玉笙寒。多少泪珠何限恨，倚阑干。

——五代·李璟《摊破浣溪沙》

秋景有时飞独鸟，夕阳无事起寒烟。
迟留更爱吾庐近，只待重来看雪天。

——宋·林逋《孤山寺端上人房写望》

对潇潇暮雨洒江天，一番洗清秋。渐霜风凄紧，关河冷落，残照当楼。
是处红衰翠减，苒苒物华休。惟有长江水，无语东流。

——宋·柳永《八声甘州》

塞下秋来风景异，衡阳雁去无留意。四面边声连角起。千嶂里，长烟落日孤城闭。

——宋·范仲淹《渔家傲·秋思》

碧云天，黄叶地，秋色连波，波上寒烟翠。
山映斜阳天接水，芳草无情，更在斜阳外。

——宋·范仲淹《苏幕遮》

荷尽已无擎雨盖，菊残犹有傲霜枝。
一年好景君须记，最是橙黄橘绿时。

——宋·苏轼《赠刘景文》

断虹霁雨，净秋空、山染修眉新绿。桂影扶疏，谁便道、今夕清辉不足？万里青天，姮娥何处？驾此一轮玉。寒光零乱，为谁偏照醽醁？

——宋·黄庭坚《念奴娇》

月团新碾瀹花瓷，饮罢呼儿课楚词。
风定小轩无落叶，青虫相对吐秋丝。

——宋·秦观《秋日》

霜落邗沟积水清，寒星无数傍船明。
菰蒲深处疑无地，忽有人家笑语声。

——宋·秦观《秋日》

山抹微云，天粘衰草，画角声断谯门。暂停征棹，聊共引离尊。多少蓬莱旧事，空回首，烟霭纷纷。斜阳外，寒鸦万点，流水绕孤村。

——宋·秦观《满庭芳》

漠漠轻寒上小楼，晓阴无赖似穷秋。淡烟流水画屏幽。
自在飞花轻似梦，无边丝雨细如愁。宝帘闲挂小银钩。

——宋·秦观《浣溪沙》

秋容老尽芙蓉院，草上霜花匀似翦。
西楼促坐酒杯深，风压绣帘香不卷。
玉纤慵整银筝雁，红袖时笼金鸭暖。
岁华一任委西风，独有春红留醉脸。

——宋·秦观《木兰花》

鱼咸满缶酒新篘，处处吴歌起陇头。
上客已随新雁到，晚禾犹待薄霜收。

——宋·陆游《秋日郊居》

车荡比邻例馈鱼，流涎对此四腮鲈。
北窗雨过凉如水，消得先生一醉无？

——宋·陆游《秋日郊居》

西风吹叶满湖边，初换秋衣独慨然。
白首有诗悲蜀道，清宵无梦到钧天。

——宋·陆游《秋思》

秋气萧萧暑已归，晚云更送雨霏微。
床收珍簟敷菅席，笥叠纤絺换熟衣。

——宋·陆游《秋雨益凉写兴》

秋到边城角声哀，烽火照高台。悲歌击筑，凭高酹酒，此兴悠哉！
多情谁似南山月，特地暮云开。灞桥烟柳，曲江池馆，应待人来。

——宋·陆游《秋波媚》

少年不识愁滋味，爱上层楼。爱上层楼，为赋新词强说愁。

而今识尽愁滋味，欲说还休。欲说还休，却道天凉好个秋！

——宋·辛弃疾《丑奴儿》

人面不如花面，花到开时重见。独倚小阑干。许多山。

落叶西风时候，人共青山都瘦。说道梦阳台。几曾来。

——宋·辛弃疾《昭君怨》

笑拍洪崖，问千丈、翠岩谁削？依旧是，西风白马，北村南郭。似整复斜僧屋乱，欲吞还吐林烟薄。觉人间、万事到秋来，都摇落。

——宋·辛弃疾《满江红》

吟蛩鸣蜩引兴长，玉簪花落野塘香。

园翁莫把秋荷折，留与游鱼盖夕阳。

——宋·周密《西塍废圃》

天水碧，染就一江秋色。鳌戴雪山龙起蛰，快风吹海立。

数点烟鬟青滴，一杼霞绡红湿，白鸟明边帆影直，隔江闻夜笛。

——宋·周密《闻鹊喜》

候蛩凄断，人语西风岸。月落平沙江似练，望尽芦花无雁。
暗教愁损兰成，可怜夜夜关情。只有一枝梧叶，不知多少秋声？
——宋·张炎《清平乐》

枯藤老树昏鸦，小桥流水人家。古道西风瘦马。夕阳西下，断肠人在天涯。
——元·马致远《天净沙·秋思》

孤村落日残霞，轻烟老树寒鸦，一点飞鸿影下。青山绿水，白草红叶黄花。
——元·白朴《天净沙·秋》

【冬】

风劲角弓鸣，将军猎渭城。草枯鹰眼疾，雪尽马蹄轻。
忽过新丰市，还归细柳营。回看射雕处，千里暮云平。
——唐·王维《观猎》

绿蚁新醅酒，红泥小火炉。晚来天欲雪，能饮一杯无！
——唐·白居易《问刘十九》

云横秦岭家何在？雪拥蓝关马不前。知汝远来应有意，好收吾骨瘴江边！
——唐·韩愈《左迁至蓝关示侄孙湘》

老夫聊发少年狂。左牵黄，右擎苍，锦帽貂裘，千骑卷平冈。为报倾城随太守，亲射虎，看孙郎。

——宋·苏轼《江城子》

放船闲看雪山晴，风定奇寒晚更凝。坐听一篙珠玉碎，不知湖面已成冰。

——宋·范成大《冬日田园杂兴》

一声画角谯门，半庭新月黄昏。雪里山前水滨。竹篱茅舍，淡烟衰草孤村。

——元·白朴《天净沙·冬》

【乡野·城镇】

今年游寓独游秦，愁思看春不当春。上林苑里花徒发，细柳营前叶漫新。公子南桥应尽兴，将军西第几留宾。寄语洛城风日道，明年春色倍还人。

——唐·杜审言《春日京中有怀》

东风何时至，已绿湖上山。湖上春已早，田家日不闲。沟塍流水处，耒耜平芜间。薄暮饭牛罢，归来还闭关。

——唐·丘为《题农父庐舍》

清江一曲抱村流，长夏江村事事幽。

自去自来梁上燕，相亲相近水中鸥。
老妻画纸为棋局，稚子敲针作钓钩。
但有故人供禄米，微躯此外更何求？
——唐·杜甫《江村》

天街小雨润如酥，草色遥看近却无。
最是一年春好处，绝胜烟柳满皇都。
——唐·韩愈《早春呈水部张十八员外》

去雁声遥人语绝，谁家素机织新雪。
秋山野客醉醒时，百尺老松衔半月。
——唐·施肩吾《秋夜山居》

一曲两曲涧边草，千枝万枝村落花。
携筇深去不知处，几叹山阿隔酒家。
——唐·吴融《野步》

洛阳城里春光好，洛阳才子他乡老。柳暗魏王堤，此时心转迷。
桃花春水渌，水上鸳鸯浴。凝恨对残晖，忆君君不知。
——唐·韦庄《菩萨蛮》

马穿山径菊初黄，信马悠悠野兴长。
万壑有声含晚籁，数峰无语立斜阳。
棠梨叶落胭脂色，荞麦花开白雪香。
何事吟余忽惆怅？村桥原树似吾乡。
——宋·王禹偁《村行》

儿童冬学闹比邻，据案愚儒却自珍。

授罢村书闭门睡，终年不着面看人。

——宋·陆游《秋日郊居》

绿遍山原白满川，子规声里雨如烟。乡村四月闲人少，才了蚕桑又插田。

——宋·翁卷《乡村四月》

【楼台·寺庙】

潜虬媚幽姿，飞鸿响远音。薄霄愧云浮，栖川怍渊沉。进德智所拙，退耕力不任。徇禄反穷海，卧痾对空林。衾枕昧节候，褰开暂窥临。倾耳聆波澜，举目眺岖嵚。初景革绪风，新阳改故阴。池塘生春草，园柳变鸣禽。祁祁伤豳歌，萋萋感楚吟。索居易永久，离群难处心。持操岂独古，无闷征在今。

——南北朝·谢灵运《登池上楼》

白日依山尽，黄河入海流。欲穷千里目，更上一层楼。

——唐·王之涣《登鹳雀楼》

东望黄鹤山，雄雄半空出。四面生白云，中峰倚红日。岩峦行穹跨，峰嶂亦冥密。颇闻列仙人，于此学飞术。一朝向蓬海，千载空石室。金灶生烟埃，玉潭秘清谧。地古遗草木，庭寒老芝术。蹇予羡攀跻，因欲保闲逸。观奇遍诸岳，兹岭不可匹。结心寄青松，永悟客情毕。

——唐·李白《望黄鹤楼》

庆历四年春，滕子京谪守巴陵郡。越明年，政通人和，百废具兴。乃重修岳阳楼，增其旧制，刻唐贤今人诗赋于其上。属予作文以记之。

予观夫巴陵胜状，在洞庭一湖。衔远山，吞长江，浩浩汤汤，横无际涯，朝晖夕阴，气象万千。此则岳阳楼之大观也，前人之述备矣。然则北通巫峡，南极潇湘，迁客骚人，多会于此。览物之情，得无异乎？

若夫霪雨霏霏，连月不开，阴风怒号，浊浪排空；日星隐曜，山岳潜形；商旅不行，樯倾楫摧；薄暮冥冥，虎啸猿啼。登斯楼也，则有去国怀乡，忧谗畏讥，满目萧然，感极而悲者矣！

至若春和景明，波澜不惊，上下天光，一碧万顷；沙鸥翔集，锦鳞游泳；岸芷汀兰，郁郁青青。而或长烟一空，皓月千里，浮光跃金，静影沉璧，渔歌互答，此乐何极！登斯楼也，则有心旷神怡，宠辱偕忘，把酒临风，其喜洋洋者矣。

嗟夫！予尝求古仁人之心，或异二者之为。何哉？不以物喜，不以己悲；居庙堂之高，则忧其民；处江湖之远，则忧其君。是进亦忧，退亦忧。然则何时而乐耶？其必曰：先天下之忧而忧，后天下之乐而乐乎？噫！微斯人，吾谁与归！

——宋·范仲淹《岳阳楼记》

何处望神州，满眼风光北固楼。
千古兴亡多少事？悠悠，不尽长江滚滚流。
年少万兜鍪，坐断东南战未休。
天下英雄谁敌手？曹刘，生子当如孙仲谋。

——宋·辛弃疾《南乡子》

【名山大川】

客游倦水宿，风潮难具论。洲岛骤回合，圻岸屡崩奔。
乘月听哀狖，浥露馥芳荪。春晚绿野秀，岩高白云屯。
千念集日夜，万感盈朝昏。攀崖照石镜，牵叶入松门。
三江事多往，九派理空存。灵物吝珍怪，异人秘精魂。
金膏灭明光，水碧缀流温。徒作千里曲，弦绝念弥敦。

——南北朝·谢灵运《入彭蠡湖口》

巫山望不极，望望下朝氛。莫辨啼猿树，徒看神女云。惊涛乱水脉，骤雨暗峰文。沾裳即此地，况复远思君。

——唐·卢照邻《巫山高》

黄河远上白云间，一片孤城万仞山。
羌笛何须怨杨柳，春风不度玉门关。

——唐·王之涣《凉州词》

巫山与天近，烟景长青荧。此中楚王梦，梦得神女灵。神女去已久，云雨空冥冥。唯有巴猿啸，哀音不可听。

——唐·张九龄《巫山高》

蜀国多仙山，峨眉邈难匹。周流试登览，绝怪安可息。青冥倚天开，彩错疑画出。泠然紫霞赏，果得锦囊术。云间吟琼箫，石上弄宝瑟。平生有微尚，欢笑自此毕。烟容如在颜，尘累忽相失。倘逢骑羊子，携手凌白日。

——唐·李白《登峨眉山》

天门中断楚江开，碧水东流至此回。
两岸青山相对出，孤帆一片日边来。

——唐·李白《望天门山》

日照香炉生紫烟，遥看瀑布挂前川。

飞流直下三千尺，疑是银河落九天。

——唐・李白《望庐山瀑布》

故人西辞黄鹤楼，烟花三月下扬州。
孤帆远影碧空尽，惟见长江天际流。

——唐・李白《黄鹤楼送孟浩然之广陵》

君不见，黄河之水天上来，奔流到海不复回。
君不见，高堂明镜悲白发，朝如青丝暮成雪。
人生得意须尽欢，莫使金樽空对月。
天生我材必有用，千金散尽还复来。

——唐・李白《将进酒》

黄河西来决昆仑，咆哮万里触龙门。波滔天，尧咨嗟。大禹理百川，儿啼不窥家。杀湍湮洪水，九州岛始蚕麻。其害乃去，茫然风沙。被发之叟狂而痴，清晨临流欲奚为。旁人不惜妻止之，公无渡河苦渡之。虎可搏，河难凭。公果溺死流海湄，有长鲸白齿若雪山。公乎公乎挂罥于其间，箜篌所悲竟不还。

——唐・李白《公无渡河》

西岳峥嵘何壮哉，黄河如丝天际来。
黄河万里触山动，盘涡毂转秦地雷。
荣光休气纷五彩，千年一清圣人在。
巨灵咆哮擘两山，洪波喷箭射东海。
三峰却立如欲摧，翠崖丹谷高掌开。
白帝金精运元气，石作莲花云作台。
云台阁道连窈冥，中有不死丹丘生。
明星玉女备洒扫，麻姑搔背指爪轻。

我皇手把天地户，丹丘谈天与天语。
九重出入生光辉，东来蓬莱复西归。
玉浆倘惠故人饮，骑二茅龙上天飞。

——唐·李白《西岳云台歌送丹丘子》

朝见裴叔则，朗如行玉山。
黄河落天走东海，万里写入胸怀间。

——唐·李白《赠裴十四》

岱宗夫如何？齐鲁青未了。造化钟神秀，阴阳割昏晓。荡胸生层云，决眦入归鸟。会当凌绝顶，一览众山小。

——唐·杜甫《望岳》

风急天高猿啸哀，渚清沙白鸟飞回。
无边落木萧萧下，不尽长江滚滚来。

——唐·杜甫《登高》

黄河北岸海西军，椎鼓鸣钟天下闻。
铁马长鸣不知数，胡人高鼻动成群。
黄河南岸是吾蜀，欲须供给家无粟。
愿驱众庶戴君王，混一车书弃金玉。

——唐·杜甫《黄河》

九曲黄河万里沙，浪淘风簸自天涯。
如今直上银河去，同到牵牛织女家。

——唐·刘禹锡《浪淘沙》

黄河水白黄云秋，行人河边相对愁。

天寒野旷何处宿，棠梨叶战风飕飕。
生离别，生离别，忧从中来无断绝。
忧积心劳血气衰，未年三十生白发。

——唐·白居易《生离别》

未到名山梦已新，千峰拔地玉嶙峋。
幔亭一夜风吹雨，似与游人洗俗尘。

——唐·李商隐《初入武夷》

八月长江万里晴，千帆一道带风轻。
尽日不分天水色，洞庭南是岳阳城。

——唐·崔季卿《晴江秋望》

派出昆仑五色流，一支黄浊贯中州。
吹沙走浪几千里，转侧尾闾无处求。

——宋·王安石《黄河》

大江东去，浪淘尽，千古风流人物。故垒西边，人道是，三国周郎赤壁。乱石穿空，惊涛拍岸，卷起千堆雪。江山如画，一时多少豪杰！遥想公瑾当年，小乔初嫁了，雄姿英发。羽扇纶巾，谈笑间，樯橹灰飞烟灭。故国神游，多情应笑我，早生华发。人生如梦，一樽还酹江月。

——宋·苏轼《念奴娇·赤壁怀古》

扁舟转山曲，未至已先惊。白浪横江起，槎牙似雪城。番番从高来，一一投涧坑。大鱼不能上，暴鬣滩下横。小鱼散复合，瀺灂如遭烹。鸬鹚不敢下，飞过两翅轻。
白鹭夸瘦捷，插脚还欹倾。区区舟上人，薄技安敢呈。只应滩头庙，赖此牛酒盈。
——宋·苏轼《新滩》

我住长江头，君住长江尾。日日思君不见君，共饮长江水。
此水几时休？此恨何时已？只愿君心似我心，定不负相思意。
——宋·李之仪《卜算子》

古来黄河流，而今作耕地。都道变通津，沧海化为尘。
——元·萨都剌《过古黄河堤》

齐云山与壁云齐，四顾青山座座低。
隔继往来南北雁，只容日月过东西。
——明·唐寅《题齐云山石室壁》

匡庐山高高几重，山雨山，浓复浓。
烧丹未住屏风迭，骑驴来看香炉峰。
江上乌帽谁渡水，岩际白衣人采松。
古句磨崖留岁月，读之漫灭为修容。
——明·唐寅《庐山》

白缘襕衫碧玉环，身于世事玛相关。
风情抵老如潘朗，颠倒骑驴过华山。
——明·唐寅《华山图》

翁昔少年初画山，苍松苍竹杂潺湲。

直疑积雨得深润，不假浮云相往还。
世外空青秋一色，岩前远黛晓千鬟。
天台鹤鹿同人境，尚恐翁归向此间。
——明·唐寅《匡山新霁图》

滚滚长江东逝水，浪花淘尽英雄。是非成败转头空。青山依旧在，几度夕阳红。白发渔樵江渚上，惯看秋月春风。一壶浊酒喜相逢。古今多少事，都付笑谈中。
——明·杨慎《临江仙》

漫将一砚梨花雨，泼湿黄山几段云。
纵是王维称妙手，阴晴难向笔头分。
——清·姚宋《黄山松云图》

山在水精界，人登员峤巅。平来雁行乱，深见峭帆悬。残照瓜洲树，寒灯北固烟。佛前敲玉磬，惊动蛰龙眠。
——现代·冯超然《金山纪游图》

思亲忆亲舍，南望白云飞。云飞不可极，游子何时归。日观上清晓，天门开翠微。浮名尔何物，辛苦事征衣。
——现代·冯超然《岱岳望云》

吴峰特起高穹窿，亭亭百丈金芙蓉。
中有阖闾古丘墓，父老仿佛传遗踪。
吴王一去几千载，金精不复扬光彩。

湛庐跃出秋水寒，至今池波涌东海。
海涌峰，虎丘寺，昔年我亦曾游此。
王郎好去探虎丘，为我追寻旧游处。
铁花岩高势峥嵘，男儿勒功当镌名。
我今作歌赠君行，青山白日难为情。

——现代·吴湖帆《海涌峰图》

腰脚龙钟发堕颠，眼中峦色雾中妍。
风鬟云鬓皆依旧，一别蛾眉五十年。

——现代·谢稚柳《黄山图》

久说岱宗胜，连绵齐鲁青。高从缆上去，深入雾中行。
隐晦千峰色，萧骚万木声。何由小天下，虚此一登临。

——现代·谢稚柳《登泰山遇雾》

古木荒荒山已深，雨余寒翠扑衣襟。
楼头独坐浑忘语，谁识高人世外心。

——现代·唐云《溪山雨后图》

【山水寓情】

青云台殿泉声隔，黄叶关河雁影来。
别有诗人好怀抱，西风双宾一登台。
——明·唐寅《山水图》

松涛谡谡响秋风，云影峦光净太空。
何事幽人常独立，只缘诗意满胸中。
——明·唐寅《山水图》

春山伴侣两三人，担酒寻花不厌频。
好是泉头池上石，软莎堪坐静无尘。
——明·唐寅《春山伴侣图》

日长深闭草庐眠，席下犹余纸里钱。
点检鸡栖牛缚草，夜来有虎饮山泉。
——明·唐寅《秋日山居图》

寒雪朝来战朔风，万山开遍玉芙蓉。
酒深尚觉冰生脚，何事溪桥有客踪。
——明·唐寅《雪山行旅图》

函关雪霁旅人稠，轻载驴骡重载牛。
科斗店前山积铁，蛤蟆陵下洒倾酒。
——明·唐寅《函关雪霁图》

松间草阁依岩开，阁下幽花绕露台。
谁叩荆扉惊鹤梦，月明千里故人来。
——明·唐寅《题画九首·之一》

秋老芙蓉一夜霜，月光潋滟荡湖光。渔翁稳作船头睡，梦入鲛宫自渺茫。
——明·唐寅《题画九首·之二》

窅渺万山中，飘动白云影。那识绿阴深，藏一钓鱼艇。
——清·查士标《仿一峰山水图》

种得孤松千余尺，半间草阁水云居。何人独棹闲相访，策杖欢迎谊不疏。
——清·戴本孝《山水图》

茅亭不近城，高怀谢时名，雨过台阶润，书声几席清。溜从山顶落，云傍石崖生，唯有求诗客，频来懒出迎。
——清·王翚《山水图》

秋色近妍媚，遥山生紫烟。扁舟有余兴，不觉到溪边。
——现代·冯超然《秋江泛舟图》

阴壑响飞瀑，虚窗冷翠微。路盘千岭外，岚气湿人衣。
——现代·冯超然《阴壑飞泉图》

雨过泉声急，烟深染碧螺。停琴一俯仰，诗比辞峰多。
——现代·冯超然《山水四屏·之二》

幽人凭水槛，钓客挈鱼投。况对千山雪，而无一客留。

腊酒此时熟，老夫终岁愁。壶公能醉我，跳入画中休。

——现代·冯超然《雪景山水图》

百尺飞泉云外落，一林霜叶九秋时。

——现代·冯超然《九秋飞泉图》

疏影横斜隔远汀，黄昏寒月上林扃。

梅花一白浑无际，遮断春山数点青。

——现代·冯超然《梅溪春泛图》

梦醒罗浮世外春，一生惯与鹤相亲。

梅花骨瘦还输我，欲倩前身月写真。

——现代·冯超然《放鹤赏春图》

日落江明树影稀，秋高露气已沾衣。

只今四海民皆瘠，不及鲈鱼个个肥。

——现代·冯超然《秋景图》

瑶池仙子宴流霞，醉里遗簪幻作华。

万斛浓香山麝馥，随风吹落到君家。

——现代·冯超然《秋色图》

不写晴山写雨山，似呵明镜照烟鬟。

人间万象模糊好，风马云车便往还。

——现代·冯超然《秋山雨霁图》

袅袅垂柳皴细雨，茸茸浅草蘸寒烟。

不识是风还是雨，耐人寻味是春山。

——现代·冯超然《山水四屏·之一》

春山一角翠盈盈，春风春雨过清明。
杜鹃啼血桃花笑，夹岸垂柳拂镜平。
一片平畴如锦织，几间茅屋绝嚣尘。
长安烽火年来逼，何处桃源可避秦。

——现代·冯超然《江南春图》

营丘林惜千金墨，洪谷云藏四面山。
奇秘偶窥狂唤者，此身却在图画间。

——现代·吴湖帆《幽谷云峰图》

淡似春痕软似烟，夕阳花影女儿天。
六朝山色依然绿，杨柳风新正少年。

——现代·吴湖帆《春柳泛舟图》

拟到山房步履迟，清泉白石总幽期。
海中秋月初生处，林外朝暾欲上时。
陶令为怜堪问隐，葛仙相见共围棋。
他年丘壑存吾志，携手欢游更赋诗。

——现代·吴湖帆《山房秋霁图》

连山不可断，沙水自萦舒。老木柴门里，一编黄老书。

云光寒洒落，石气昼溟濛。秀削中天见，唯余直上峰。

——现代·唐云《竹龛读书图》

天空云尽绝波澜，坐稳春潮一笑看。

不钓白鱼钓新绿，乾坤钓在太虚端。

——现代·唐云《春江垂钓图》

雨余山翠绿于烟，一叶扁舟树石间。
六月炎晖无着处，白云常共一身闲。

——现代·唐云《雨余山翠图》

绝壁崚嶒天削开，清泉裂石净苍苔。
涓涓尽日无言语，惟见幽人觅句来。

——现代·唐云《苍岩听泉图》

松老阴浓白日昏，鹤雏啄破旧苔痕。
红尘不到云深处，万壑千峰独闭门。
谈禅独向梵王家，来往山中每日斜。
一径云深春涧急，有人扶杖看松苍。

——现代·唐云《松荫扶杖图》

嫩绿发新松，飞泉雪霰融。万山贪沉睡，唤起是春风。

——现代·谢稚柳《春山图》

浓绿添新黛，乍凉楼满风。夏山冥濛里，雨散复烟笼。

——现代·谢稚柳《夏山图》

峦垭秋临树，流光散绿云。严霜浑可赏，红染一林春。

——现代·谢稚柳《秋霜图》

密竹深深碧，疏林冉冉红。西风今夕起，千里满秋容。

——现代・谢稚柳《题画三首・之一》

群山相环抱，突兀洁白彻。随宜爱景光，况此射眸雪。

——现代・谢稚柳《冬雪图》

【其他】

子在川上曰：「逝者如斯夫，不舍昼夜。」

——春秋・孔子弟子编撰《论语・子罕》

子曰：「知者不惑，仁者不忧，勇者不惧。」

——春秋・孔子弟子编撰《论语・子罕》

故不登高山，不知天之高也；不临深溪，不知地之厚也。

——春秋・荀子《荀子・劝学》

少年易老学难成，一寸光阴不可轻。
未觉池塘春草梦，阶前梧叶已秋声。

——宋・朱熹《劝学诗》

万千气象

【晴日】

日日春光斗日光，山城斜路杏花香。
几许心绪浑无事，得及游丝百尺长？
——唐·李商隐《日日》

绿树阴浓夏日长，楼台倒影入池塘。
水晶帘动微风起，满架蔷薇一院香。
——唐·高骈《山亭夏日》

泉眼无声惜细流，树阴照水爱晴柔。
小荷才露尖尖角，早有蜻蜓立上头。
——宋·杨万里《小池》

海堂深院雨初收，苔径无风蝶自由。
百结丁香夸美丽，三眠杨柳弄轻柔。
小桃酒腻红尤浅，芳草寒余绿渐稠。
寂寂珠帘归燕未，子规啼处一春愁。
——宋·朱淑真《晴和》

雨过横塘蛙吹闹，日融芳圃蜜脾香。
一痕心事难消遣，双鹊飞鸣过短墙。
——宋·朱淑真《日永》

春山暖日和风，阑干楼阁帘栊。杨柳秋千院中。
啼莺舞燕，小桥流水飞红。
——元·白朴《天净沙·春》

【风雨】

风轻不动叶，雨细未沾衣。入楼如雾上，拂马似尘飞。

——南北朝·萧绎《咏细雨》

萧条起关塞，摇扬下蓬瀛。拂林花乱彩，响谷鸟分声。披云罗影散，泛水织文生。劳歌大风曲，威加四海清。

——唐·李世民《咏风》

和气吹绿野，梅雨洒芳田。新流添旧涧，宿雾足朝烟。雁湿行无次，花沾色更鲜。对此欣登岁，披襟弄五弦。

——唐·李世民《咏雨》

解落三秋叶，能开二月花。过江千尺浪，入竹万竿斜。

——唐·李峤《风》

肃肃凉风生，加我林壑清。驱烟寻涧户，卷雾出山楹。去来固无迹，动息如有情。日落山水静，为君起松声。

——唐·王勃《咏风》

江城如画里，山晓望晴空。雨水夹明镜，双桥落彩虹。人烟寒橘柚，秋色老梧桐。谁念北楼上，临风怀谢公。

——唐·李白《秋登宣城谢朓北楼》

雨色秋来寒，风严清江爽。孤高绣衣人，潇洒青霞赏。

平生多感激，忠义非外奖。祸连积怨生，事及徂川往。

——唐·李白《酬裴侍御对雨感时见赠》

好雨知时节，当春乃发生。随风潜入夜，润物细无声。

——唐·杜甫《春夜喜雨》

八月秋高风怒号，卷我屋上三重茅。茅飞度江洒江郊，高者挂罥长林梢，下者飘转沉塘坳。

——唐·杜甫《茅屋为秋风所破歌》

昨夜一霎雨，天意苏群物。何物最先知，虚庭草争出。

——唐·孟郊《春雨后》

天街小雨润如酥，草色遥看近却无。

最是一年春好处，绝胜烟柳满皇都。

——唐·韩愈《早春呈水部张十八员外》

春风如醇酒，着物物不知。绿树见芳芽，花香引蝶戏。

——宋·程致道《过红梅阁》

黑云翻墨未遮山，白雨跳珠乱入船。

卷地风来忽吹散，望湖楼下水如天。

——宋·苏轼《望湖楼醉书》

风怒欲拔木，雨暴欲掀屋。风声翻海涛，雨点堕车轴。拄门那敢开，吹火不得烛。岂惟涨沟溪，势已卷平陆。辛勤蓺宿麦，所望明年熟。一饱正自艰，五穷故相逐。南邻更可念，布被冬未赎。明朝甑复空，母子相持哭。

——宋·陆游《十月二十八日风雨大作》

雨侵坏瓮新苔绿，秋入横林数叶红。莫怪又生湖海兴，此身元自是孤篷。

——宋·陆游《秋雨中作》

僵卧孤村不自哀，尚思为国戍轮台。夜阑卧听风吹雨，铁马冰河入梦来。

——宋·陆游《十一月四日风雨大作》

【云烟】

孤烟起新丰。候雁出云中。草低金城雾。木下玉门风。别君河初满。思君月屡空。折桂衡山北。摘兰沅水东。

——南北朝·范云《别诗》

行役滞风波，游人淹不归。亭皋木叶下，陇首秋云飞。寒园夕鸟集，思牖草虫悲。嗟矣当春服，安见御冬衣？

——南北朝·柳浑《捣衣诗》

秋色无远近，出门尽寒山。白云遥相识，待我苍梧间。借问卢耽鹤，西飞几岁还。

——唐·李白《赠卢司户》

溪云初起日沉阁，山雨欲来风满楼。

——明·吴彬《溪云初起图》

漠漠烟中树，层层云外峰。水边亭子上，何处着尘踪。

——现代·冯超然《层层烟外树》

【霜雪】

洁野凝晨曜，装墀带夕晖。集条分树玉，拂浪影泉玑。色洒妆台粉，花飘绮席衣。入扇萦离匣，点素皎残机。

——唐·李世民《咏雪》

春雪满空来，触处似花开。不知园里树，若个是真梅。

——唐·东方虬《春雪》

龙云玉叶上，鹤雪瑞花新。影乱铜乌吹，光销玉马津。含辉明素篆，隐迹表祥轮。幽兰不可俪，徒自绕阳春。

——唐·骆宾王《咏雪》

日暮苍山远，天寒白屋贫。柴门闻犬吠，风雪夜归人。

——唐·刘长卿《逢雪宿芙蓉山主人》

终南阴岭秀，积雪浮云端。林表明霁色，城中增暮寒。

——唐·祖咏《终南望余雪》

战哭多新鬼，愁吟独老翁。乱云低薄暮，急雪舞回风。瓢弃樽无绿，炉存火似红。数州消息断，愁坐正书空。

——唐·杜甫《对雪》

北风卷地白草折，胡天八月即飞雪。
忽如一夜春风来，千树万树梨花开。
散入珠帘湿罗幕，狐裘不暖锦衾薄。
将军角弓不得控，都护铁衣冷难着。
瀚海阑干百丈冰，愁云惨淡万里凝。
中军置酒饮归客，胡琴琵琶与羌笛。
纷纷暮雪下辕门，风掣红旗冻不翻。
轮台东门送君去，去时雪满天山路。
山回路转不见君，雪上空留马行处。

——唐·岑参《白雪歌送武判官归京》

新年都未有芳华，二月初惊见草芽。
白雪却嫌春色晚，故穿庭树作飞花。

——唐·韩愈《春雪》

已讶衾枕冷，复见窗户明。夜深知雪重，时闻折竹声。

——唐·白居易《夜雪》

千山鸟飞绝，万径人踪灭。孤舟蓑笠翁，独钓寒江雪。

——唐·柳宗元《江雪》

寒气先侵玉女扉，清光旋透省郎闱。
梅花大庾岭头发，柳絮章台街里飞。
欲舞定随曹植马，有情应湿谢庄衣。
龙山万里无多远，留待行人二月归。

——唐·李商隐《对雪》

旋扑珠帘过粉墙，轻于柳絮重于霜。
已随江令夸琼树，又入卢家妒玉堂。
侵夜可能争桂魄，忍寒应欲试梅妆。
关河冻合东西路，肠断斑骓送陆郎。
——唐·李商隐《对雪》

飘飘送下遥天雪，飒飒吹干旅舍烟。
——唐·高辇《冬风》

【夜月】

万里瞿唐月，春来六上弦。时时开暗室，故故满青天。
爽和风襟静，高当泪满悬。南飞有乌鹊，夜久落江边。
——唐·杜甫《月》

天上秋期近，人间月影清。入河蟾不没，捣药兔长生。
只益丹心苦，能添白发明。干戈知满地，休照国西营。
——唐·杜甫《月》

月落乌啼霜满天，江枫渔火对愁眠。

姑苏城外寒山寺，夜半钟声到客船。

——唐·张继《枫桥夜泊》

更深月色半人家，北斗阑干南斗斜。
今夜偏知春气暖，虫声新透绿窗纱。

——唐·刘方平《夜月》

秋宵月色胜春宵，万里天涯静寂寥。
近来数夜飞霜重，只畏娑婆树叶凋。

——唐·戎昱《戏题秋月》

护霜云映月朦胧，乌鹊争飞井上桐。
夜半酒醒人不觉，满池荷叶动秋风。

——唐·窦巩《秋夕》

银烛秋光冷画屏，轻罗小扇扑流萤。
天阶夜色凉如水，卧看牵牛织女星。

——唐·杜牧《秋夕》

夜深风竹敲秋韵，万叶千声皆是恨。
故欹单枕梦中寻，梦又不成灯又烬。

——宋·欧阳修《木兰花》

金炉香尽漏声残，翦翦轻风阵阵寒。
春色恼人眠不得，月移花影上栏干。

——宋·王安石《春夜》

夜雨凄凉客思迷，闻碪却是梦回时。
人人解说悲秋事，不似诗人彻底知。

——宋·陆游《秋夜》

高屐枯筇一老翁，灯前自笑发如蓬。泠泠月浸荒庭竹，淅淅风凋古井桐。病思未苏秋尚浅，醉魂初醒夜方中。故人万里无消息，便拟江头问断鸿。

——宋·陆游《秋夜》

秋到边城角声哀，烽火照高台。悲歌击筑，凭高酹酒，此兴悠哉！多情谁似南山月，特地暮云开。灞桥烟柳，曲江池馆，应待人来。

——宋·陆游《秋波媚》

寒夜客来茶当酒，竹炉汤沸火初红。寻常一样窗前月，才有梅花便不同。

——宋·杜耒《寒夜》

【晨昏】

虹销雨霁，彩彻云衢。落霞与孤鹜齐飞，秋水共长天一色。

——唐·王勃《滕王阁序》

移舟泊烟渚，日暮客愁新。野旷天低树，江清月近人。

——唐·孟浩然《宿建德江》

春眠不觉晓，处处闻啼鸟。夜来风雨声，花落知多少。

——唐·孟浩然《春晓》

单车欲问边，属国过居延。征蓬出汉塞，归雁入胡天。
大漠孤烟直，长河落日圆。萧关逢候骑，都护在燕然。

——唐·王维《使至塞上》

懒慢无堪不出村，呼儿日在掩柴门。
苍苔浊酒林中静，碧水春风野外昏。

——唐·杜甫《漫兴》

岸阔樯稀波渺茫，独凭危槛思何长。
萧萧远树疏林外，一半秋山带夕阳。

——宋·寇准《书河上亭壁》

孤村落日残霞，轻烟老树寒鸦，一点飞鸿影下。
青山绿水，白草红叶黄花。

——元·白朴《天净沙·秋》

枯藤老树昏鸦，小桥流水人家。古道西风瘦马。
夕阳西下，断肠人在天涯。

——元·马致远《天净沙·秋思》

画栋珠帘烟水中，落霞孤鹜渺无踪。
千年想见王南海，曾借龙王一阵风。

——明·唐寅《落霞孤鹜图》

【节气·佳节】

岁阴穷暮纪，献节启新芳。冬尽今宵促，年开明日长。冰消出镜水，梅散入风香。对此欢终宴，倾壶待曙光。

——唐·董思恭《守岁》

今岁今宵尽，明年明日催。寒随一夜去，春逐五更来。气色空中改，容颜暗里回。风光人不觉，已着后园梅。

——唐·史青《应诏赋得除夜》

天时人事日相催，冬至阳生春又来。
刺绣五纹添弱线，吹葭六管动浮灰。
岸容待腊将舒柳，山意冲寒欲放梅。
云物不殊乡国异，教儿且覆掌中杯。

——唐·杜甫《小至》

腊日常年暖尚遥，今年腊日冻全消。
侵陵雪色还萱草，漏泄春光有柳条。
纵酒欲谋良夜醉，还家初散紫宸朝。
口脂面药随恩泽，翠管银罂下九霄。

——唐·杜甫《腊日》

邯郸驿里逢冬至，抱膝灯前影伴身。
想得家中夜深坐，还应说着远行人。

——唐·白居易《邯郸冬至夜思家》

万里清光不可思，添愁益恨绕天涯。
谁人陇外久征戍？何处庭前新别离？
失宠故姬归院夜，没蕃老将上楼时。
照他几许人肠断，玉兔银蟾远不知。

——唐·白居易《中秋月》

南园满地堆轻絮，愁闻一霎清明雨。雨后却斜阳，杏花零落香。
无言匀睡脸，枕上屏山掩。时节欲黄昏，无憀独倚门。

——唐·温庭筠《菩萨蛮》

浑开又密望中迷，乳燕归迟粉竹低。
扑地暗来飞野马，舞风斜去散酰鸡。
初从滴沥妨琴榭，渐到潺湲绕药畦。
少傍海边飘泊处，中庭自有两犁泥。

——唐·吴融《梅雨》

满眼游丝兼落絮，红杏开时，一霎清明雨。
浓睡觉来慵不语，惊残好梦无寻处。

——五代·冯延巳《鹊踏枝》

乳鸦啼散玉屏空，一枕新凉一扇风。
睡起秋声无觅处，满阶梧叶月明中。

——宋·刘翰《立秋》

燕子来时新社，梨花落后清明。
池上碧苔三四点，叶底黄鹂一两声，日长飞絮轻。

——宋·晏殊《破阵子》

去年元夜时，花市灯如昼。月上柳梢头，人约黄昏后。今年元夜时，花与灯依旧。不见去年人，泪满春衫袖。

——宋·欧阳修《生查子·元夕》

欲过清明烟雨细。小槛临窗，点点残花坠。梁燕语多惊晓睡，银屏一半堆香被。

——宋·欧阳修《蝶恋花》

暮云收尽溢清寒，银汉无声转玉盘。此生此夜不长好，明月明年何处看。

——宋·苏轼《阳关曲·中秋月》

纵有灵符共采丝，心情不似旧家时。榴花照眼能牵恨，强切菖蒲泛酒卮。

——宋·朱淑真《端午》

拜月亭前梧叶稀，穿针楼上觉秋迟。天孙正好贪欢笑，那得工夫赐巧丝。

——宋·朱淑真《七夕》

谁家横笛弄轻清，唤起离人枕上情。自是断肠听不得，非干吹出断肠声。

——宋·朱淑真《中秋闻笛》

巧云妆晚，西风罢暑，小雨翻空月坠。牵牛织女几经秋，尚多少、离肠恨泪？微凉入袂，幽欢生座，天上人间满意。何如暮暮与朝朝，更改却、年年岁岁？

——宋·朱淑真《鹊桥仙·七夕》

独占秋光盛，天工信有偏。清浑千里共，皓魄十分圆。
兔影寒犹弄，蟾蜍老更坚。只愁看未足，一去又经年。

——宋·朱淑真《中秋玩月》

矮纸斜行闲作草，晴窗细乳戏分茶。
素衣莫起风尘叹，犹及清明可到家。

——宋·陆游《临安春雨初霁》

律回岁晚冰霜少，春到人间草木知。
便觉眼前生意满，东风吹水绿参差。

——宋·张栻《立春偶成》

春事到清明，十分花柳。唤得笙歌劝君酒。
酒如春好，春色年年如旧。青春元不老，君知否。

——宋·辛弃疾《感皇恩》

黄梅时节家家雨，青草池塘处处蛙。
有约不来过夜半，闲敲棋子落灯花。

——宋·赵师秀《约客》

长风霾云莽千里，云气蓬蓬天冒水。
风收云散波乍平，倒转青天作湖底。
初看落日沉波红，素月欲升天敛容。
舟人回首尽东望，吞吐故在冯夷宫。
须臾忽自波心上，镜面横开十余丈。
月光浸水水浸天，一派空明互回荡。
此时骊龙潜最深，目炫不得衔珠吟。

巨鱼无知作腾踔，鳞甲一动千黄金。
人间此境知难必，快意翻从偶然得。
遥闻渔父唱歌来，始觉中秋是今夕。
——清·查慎行《中秋夜洞庭湖对月歌》

【其他】

春水满四泽，夏云多奇峰。秋月扬明晖，冬岭秀寒松。
——魏晋·陶渊明《四时》

衡若首春华，梧楸当夏翳。鸣笙起秋风，置酒飞冬雪。
——南北朝·王微《四气诗》

列名通地纪，疏派合天津。波随月色净，态逐桃花春。照霞如隐石，映柳似沉鳞。终当挹上善，属意澹交人。
——唐·骆宾王《咏水》

浅浅水，长悠悠，来无尽，去无休。
曲曲折折向东流，山山岭岭难阻留。
问伊奔腾何时歇，不到大海不回头。
——明·唐寅《流水诗》

西园梅放立春先，云镇霄光雨水连。
惊蛰初交河跃鲤，春分蝴蝶梦花闲。
清明时放风筝误，谷雨西厢好养蚕。
牡丹亭立夏花零落，玉簪小满布庭前。
隔溪芒种渔家乐，义侠同耘夏至间。
小暑白罗衫着体，望湖亭大暑对风眠。
立秋向日葵花放，处暑西楼听晚蝉。
翡翠园中零白露，秋分折桂月华天。
烂柯山寒露惊鸿雁，霜降芦花红蓼滩。
立冬畅饮麒麟阁，绣襦小雪咏诗篇。
幽闺大雪红炉暖，冬至琵琶懒去弹。
小寒高卧邯郸梦，一捧雪飘空交大寒。
白兔乌飞又一年。
——清·马如飞《二十四节气并戏文名》

花草

【梅花类】

大庾敛寒光，南枝独早芳。雪含朝暝色，风引去来香。妆面回青镜，歌尘起画梁。若能遥止渴，何暇泛琼浆。

——唐·李峤《梅》

早梅发高树，回映楚天碧。朔吹飘夜香，繁霜滋晓白。欲为万里赠，杳杳山水隔。寒英坐销落，何用慰远客？

——唐·柳宗元《早梅》

白玉堂前一树梅，今朝忽见数花开。

几家门户重重闭，春色如何入得来？

——唐·蒋维翰《梅花》

尘劳迥脱事非常，紧把绳头做一场。不是一番寒彻骨，怎得梅花扑鼻香。

——唐·黄檗禅师《上堂开示颂》

一树寒梅白玉条，迥临村路傍溪桥。不知近水花先发，疑是经冬雪未销。

——唐·张谓《早梅》

定定住天涯，依依向物华。寒梅最堪恨，常作去年花。

——唐·李商隐《忆梅》

万木冻欲折，孤根暖独回。前村深雪里，昨夜一枝开。风递幽香去，禽窥素艳来。明年独自律，先发映春台。

——唐·齐已《早梅》

众芳摇落独暄妍，占尽风情向小园。疏影横斜水清浅，暗香浮动月黄昏。霜禽欲下先偷眼，粉蝶如知合断魂。幸有微吟可相狎，不须檀板共金樽。

——宋·林逋《山园小梅》

帘幕东风寒料峭。雪里香梅，先报春来早。红蜡枝头双燕小。金刀剪彩呈纤巧。

——宋·欧阳修《蝶恋花》

墙角数枝梅，凌寒独自开。遥知不是雪，为有暗香来。

——宋·王安石《梅花》

不受尘埃半点侵，竹篱茅舍自甘心。只因误识林和靖，惹得诗人说到今。

——宋·王琪《梅》

年年芳信负红梅，江畔垂垂又欲开。珍重多情关伊令，直和根拨送春来。

——宋·苏轼《红梅》

庭院深深深几许，云窗雾阁春迟。为谁憔悴损芳姿。夜来清梦好，应是发南枝。玉瘦檀轻无限恨，南楼羌管休吹。浓香吹尽有谁知。暖风迟日也，别到杏花肥。

——宋·李清照《临江仙·梅》

红酥肯放琼苞碎，探着南枝开遍未？
不知酝藉几多时，但见包藏无限意。
道人憔悴春窗底，闷损阑干愁不倚。
要来小看便来休，未必明朝风不起。

——宋·李清照《玉楼春·红梅》

玉瘦香浓，檀深雪散，今年恨探梅又晚。江楼楚馆，云间水远。清昼永，凭栏翠帘低卷。坐上客来，尊前酒满，歌声共水流云断。南枝可插，更须频剪，莫待西楼，数声羌管。

——宋·李清照《殢人娇·后亭梅开有感》

雪里已知春信至，寒梅点缀琼枝腻。
香脸半开娇旖旎，当庭际，玉人浴出新妆洗。
造化可能偏有意，故教明月玲珑地。
共赏金尊沉绿蚁，莫辞醉，此花不与群花比。

——宋·李清照《渔家傲·梅》

满城桃李望东君，破蜡红梅未上春。
窗几数枝逾静好，园林一雪碧清新。

——宋·曾几《雪后梅盛开折置灯下》

缀雪融酥各自芳，两般颜色一般香。
瑶池会罢朝元客，缟素仙裳问道装。

——宋·朱淑真《二色梅》

竹里一枝梅，映带林逾静。雨后清奇画不成，浅水横疏影。
吹彻小单于，心事思重省。拂拂风前度暗香，月色侵花冷。

——宋·朱淑真《卜算子·咏梅》

驿外断桥边，寂寞开无主。已是黄昏独自愁，更着风和雨。
无意苦争春，一任群芳妒。零落成泥碾作尘，只有香如故。

——宋·陆游《卜算子·咏梅》

梅雪争春未肯降，骚人搁笔费评章。
梅须逊雪三分白，雪却输梅一段香。

——宋·卢梅坡《雪梅》

有梅无雪不精神，有雪无诗俗了人。
日暮诗成天又雪，与梅并作十分春。

——宋·卢梅坡《雪梅》

旧时月色，算几番照我，梅边吹笛？唤起玉人，不管清寒与攀摘。何逊而今渐老，都忘却、春风词笔。但怪得、竹外疏花，香冷入瑶席。
江国，正寂寂。叹寄与路遥，夜雪初积。翠尊易泣，红萼无言耿相忆。长记曾携手处，千树压、西湖寒碧。又片片、吹尽也，几时见得。

——宋·姜夔《暗香》

苔枝缀玉，有翠禽小小，枝上同宿。
客里相逢，篱角黄昏，无言自倚修竹。
昭君不惯胡沙远，但暗忆、江南江北。

想佩环，月夜归来，化作此花幽独。
犹记深宫旧事，那人正睡里，飞近蛾绿。
莫似春风，不管盈盈，早与安排金屋。
还教一片随波去，又却怨、玉龙哀曲。
等恁时、重觅幽香，已入小窗横幅。
——宋·姜夔《疏影》

东风才有又西风，群木山中叶叶空。
只有梅花吹不尽，依然新白抱新红。
——宋·李公明《早梅》

画师不作粉脂面，却恐傍人嫌我直。
相逢莫道不相识，夏馥从来琢玉人。
——元·赵秉文《墨梅》

冰雪林中着此身，不同桃李混芳尘。
忽然一夜清香发，散作乾坤万里春。
——元·王冕《白梅》

我家洗砚池头树，朵朵花开淡墨痕。
不要人夸颜色好，只留清气满乾坤。
——元·王冕《墨梅》

琼姿只合在瑶台，谁向江南处处栽？
雪满山中高士卧，月明林下美人来。
寒依疏影萧萧竹，春掩残香漠漠苔。
自去何郎无好咏，东风愁寂几回开。
——明·高启《梅花》

白贲谁为偶，黄中自保真。相看经发改，独领四时春。

——明·唐寅《梅花图》

东风吹动看梅期，箫鼓联船发恐迟。
斜日僧房怕归去，还携红袖绕南枝。

——明·唐寅《梅枝图》

老树愈老愈精神，水店山楼若有人。
清到十分寒满把，始知明月是前身。

——清·金农《老梅》

野鹤闲云寄此生，暗香真到十分清。
转怜桃李无颜色，独抱冰霜有性情。
赠我诗难应束手，笑他人俗也知名。
开迟才觉春风暖，先听流莺第一声。

——清·张问陶《梅花》

正无花候折寒苞，巧结骚人淡泊遭。
若使开于红紫内，更谁来赏格孤高。

——现代·冯超然《山水四屏·之一》

人语夜深寂，霜威侵敝袍。梅花与明月，共我作三高。

——现代·冯超然《仿古山水册·之一》

朝晖装点万枝春，俏粉骄红百态新。
花萼不知谁绣出，东风一夜似金针。

——现代·谢稚柳《梅花》

何处月香水影，繁英烂漫晴天。

新握春风词笔，不关觅句逋仙。
——现代·谢稚柳《画梅》

绿萼苔枝已绝尘，老梢还惹碧云春。
看来都是旧时色，惟有年华共鬓新。
——现代·谢稚柳《梅竹》

梅花压雪枝头瘦，翠葆凌云彻骨寒。
璀璨回星下南溟，不期来会岁寒盟。
——现代·谢稚柳《画梅竹石》

春风省识画图开，老去寻诗意未灰。
休问寒梅着花未，已曾浮动暗香来。
——现代·谢稚柳《画梅二首·之一》

月明三五夜窗圆，照眼花枝次第妍。
真到驹阴垂尽隙，却占春色在毫颠。
——现代·谢稚柳《画梅二首·之二》

墨池得暖回春蛰，入手东风第一枝。
——现代·唐云《老药画梅册·之一》

东风吹着便成春。
——现代·唐云《老药画梅册·之二》

水边篱落忽横枝。
——现代·唐云《老药画梅册·之三》

【兰芷类】

芷兰生于幽林，不以无人而不芳。君子修道立德，不为穷困而改节。

——春秋战国·孔子《孔子家语·在厄》

故曰：与善人居，如入芝兰之室，久而不闻其香，即与之化矣。与不善人居，如入鲍鱼之肆，久而不闻其臭，亦与之化矣。

——春秋战国·孔子《孔子家语·六本》

明法令而修理兮，兰芷幽而有芳。苦众人之妒予兮，箕子瘖而佯狂。

不顾地以贪名兮，心怫郁而内伤。联蕙芷以为佩兮，过鲍肆而失香。

——汉·东方朔《楚辞·七谏·沉江》

幽兰生前庭，含熏待清风。清风脱然至，见别萧艾中。

行行失故路，任道或能通。觉悟当念还，鸟尽废良弓。

——魏晋·陶渊明《饮酒·幽兰》

惟奇卉之灵德，禀国香于自然。俪嘉言而擅美，拟贞操以称贤。

咏秀质于楚赋，腾芳声于汉篇。冠庶卉而超绝，历终古而弥传。

若乃浮云卷岫，明月澄天，光风细转，清露微悬，紫茎膏润，绿叶木鲜。

若翠羽之群集，譬彤霞之竞然。感羁旅之招根，狎寓客之流连。

既不遇于揽采，信无忧乎翦伐。鱼如陟以先萌，鹈虽鸣而未歇。

愿擢颖于金阶，思结荫乎玉池。泛旨酒之十酝，耀华灯于百枝。

——唐·颜师古《幽兰赋》

春晖开紫苑，淑景媚兰场。映庭含浅色，凝露泫浮光。

日丽参差影，风传轻重香。会须君子折，佩里作芬芳。

——唐·李世民《芳兰》

虚室重招寻，忘言契断金。英浮汉家酒，雪俪楚王琴。

广殿轻香发，高台远吹吟。河汾应擢秀，谁肯访山阴。

——唐·李峤《兰》

兰叶春葳蕤，桂华秋皎洁。欣欣此生意，自尔为佳节。

谁知林栖者，闻风坐相悦。草木有本心，何求美人折？

——唐·张九龄《感遇》

幽兰香风远，蕙草流芳根。欲寻千嶂壑，直下水流深。

——唐·李白《小幽山》

孤兰生幽园，众草共芜没。虽照阳春晖，复悲高秋月。飞霜早淅沥，绿艳恐休歇。若无清风吹，香气为谁发。

——唐·李白《古风》

清风摇翠环，凉露滴苍玉。美人胡不纫，幽香蔼空谷。

——唐·唐彦谦《兰》

光风浮碧涧，兰枯日猗猗。竟岁无人采，含熏只自知。

——宋·朱熹《兰涧》

绿水唯应漾白苹，胭脂只念点朱唇。自从画得湘兰后，更不闲题与俗人。

——明·徐渭《水墨兰花》

莫讶春光不属侬，一香已足压千红。总令摘向韩娘袖，不作人间脑麝风。

——明·徐渭《兰》

绿叶青葱傍石栽，孤根不与众花开。酒阑展卷山窗下，习习香从纸上来。

——明·董其昌《题兰》

无边蕙草袅春烟，谷雨山中叫杜鹃。多少朱门贵公子，何人消受静中缘。

——明·董其昌《题兰》

王孙书画出天姿，恸忆承平鬓欲丝。
长借墨花寄幽兴，至今叶叶向南吹。

——清·八大山人《题兰石》

婀娜花姿碧叶长，风来难隐谷中香。
不因纫取堪为佩，纵使无人亦自芳。

——清·玄烨《咏幽兰》

石势嵩高作寿呼，两岸修竹婉相扶。
兰芽秀茁诸孙盛，此是人间具庆图。

——清·郑板桥《兰竹图》

画得兰花与竹枝，唯于石法尚支离。

——清·郑板桥《兰竹石图》

细雨馆寒春寂寂，不知清梦到沅湘。

——现代·高剑父《兰》

闲似文君春鬓影，清如冰雪藐姑仙。
应从风格推王者，岂仅幽香足以传。

——现代·潘天寿《题兰石图》

黄蝶愁胡粉，高柯惹碧云。纫兰巴子国，谁佩满襟芬。

——现代·谢稚柳《黄桷兰》

缤纷翠带凌寒，艳艳浓心渥丹。露馔风飘香远，何如深谷幽兰。

——现代·谢稚柳《题健碧画兰》

飒然清风来，醒我昨夜酒。

——现代·唐云《兰竹》

扶醉笔掀斜，临风泛若邪。不知春意远，犹报两三花。

——现代·唐云《兰竹图》

【山茶类】

风裁日染开仙囿，百花色死猩血谬。今朝一朵堕阶前，应有看人怨孙秀。

——唐·贯休《山茶花》

山茶相对阿谁栽，细雨无人我独来。说似与君君不会，灿红如火雪中开。

——宋·苏轼《邵伯梵行寺山茶》

长明灯下石栏干，长共杉松斗岁寒。叶厚有棱犀甲健，花深少态鹤头丹。久陪方丈曼陀雨，羞对先生苜蓿盘。雪里盛开知有意，明年开后更谁看。

——宋·苏轼《和子由柳湖久涸忽有水开元寺山茶旧无花今岁盛开》

东园三日雨兼风，桃李飘零扫地空。
惟有山茶偏耐久，绿丛又放数枝红。
——宋·陆游《山茶》

雪裹开花到春晚，世间耐久孰如君？
凭阑叹息无人会，三十年前宴海云。
——宋·陆游《山茶》

犀甲凌寒碧叶重，玉杯擎处露华浓。
何当借寿长春酒，只恐茶仙未肯容。
——明·沈周《白山茶》

凌寒强比松筠秀，吐艳空惊岁月非。
冰雪纷纭真性在，根株老大众园稀。
——清·刘灏《山茶》

严霜浓雪若为亲，冻雨凉飙久结邻。
还被东风求识面，何曾凝笑向三春。
——现代·谢稚柳《山茶》

高洁有如此，明艳世无两。除是姑射仙，人间复天上。
——现代·谢稚柳《千瓣白茶花》

【桃李类】

桃之夭夭，灼灼其华。之子于归，宜其室家。
桃之夭夭，有蕡其实。之子于归，宜其家室。
桃之夭夭，其叶蓁蓁。之子于归，宜其家人。

——先秦·无名氏《诗经·国风·周南·桃夭》

独有成蹊处，秾华发井傍。山风凝笑脸，朝露泫啼妆。
隐士颜应改，仙人路渐长。还欣上林苑，千岁奉君王。

——唐·李峤《桃》

潘岳闲居日，王戎戏陌辰。蝶游芳径馥，莺啭弱枝新。
叶暗青房晚，花明玉井春。方知有灵干，特用表真人。

——唐·李峤《李》

隐隐飞桥隔野烟，石矶西畔问渔船。
桃花尽日随流水，洞在清溪何处边？

——唐·张旭《桃花溪》

桃花春水生，白石今出没。摇荡女萝枝，半摇青天月。

——唐·李白《忆秋浦桃花旧游》

问余何意栖碧山，笑而不答心自闲。
桃花流水杳然去，别有天地非人间。

——唐·李白《山中问答》

黄师塔前江水东，春光懒困倚微风。
桃花一簇开无主，可爱深红爱浅红？

——唐·杜甫《江畔独步寻花》

肠断江春欲尽头，杖藜徐步立芳洲。
颠狂柳絮随风去，轻薄桃花逐水流。

——唐·杜甫《漫兴》

千叶桃花胜百花，孤荣春晚驻年华。
若教避俗秦人见，知向河源旧侣夸。

——唐·杨凭《千叶桃花》

南园桃李花落尽，春风寂寞摇空枝。

——唐·杨凌《无题》

百叶双桃晚更红，窥窗映竹见玲珑。
应知侍史归天上，故伴仙郎宿禁中。

——唐·韩愈《题百叶桃花》

人间四月芳菲尽，山寺桃花始盛开。
长恨春归无觅处，不知转入此中来。

——唐·白居易《大理寺桃花》

桃花浅深处，似匀深浅妆。春风助肠断，吹落白衣裳。

——唐·元稹《桃花》

去年今日此门中，人面桃花相映红。
人面不知何处去，桃花依旧笑春风。

——唐·崔护《题都城南庄》

李径独来数，愁情相与悬。自明无月夜，强笑欲风天。
减粉与园箨，分香沾渚莲。徐妃久已嫁，犹自玉为钿。

——唐·李商隐《李花》

桃花春色暖先开，明媚谁人不看来。
可惜狂风吹落后，殷红片片点莓苔。

——唐·周朴《桃花》

满树和娇烂漫红，万枝丹彩灼春融。
何当结作千年实，将示人间造化工。

——唐·吴融《桃花》

风暖仙源里，春和水国中。流莺应见落，舞蝶未知空。

——唐·齐己《桃花》

小楼西望那人家，出尾香梢几树花。
只恐东风能作恶，乱红如雨坠窗纱。

——宋·刘敞《桃花》

争开不待叶，密缀欲无条。傍沼人窥鉴，惊鱼水溅桥。

——宋·苏轼《桃花》

碧桃天上栽和露，不是凡花数。
乱山深处水萦回，可惜一枝如画、为谁开？

——宋·秦观《虞美人》

桃源只在镜湖中，影落清波十里红。
自别西川海棠后，初将烂醉答春风。
——宋·陆游《泛舟观桃花》

寻得桃源好避秦，桃红又见一年春。
花飞莫遣随流水，怕有渔郎来问津。
——宋·谢枋得《庆全庵桃花》

小小琼英舒嫩白，未饶深紫与轻红。
无言路侧谁知味，惟有寻芳蝶与蜂。
——宋·朱淑真《李花》

枝缀霜葩白，无言笑晓风。清芳谁是侣，色间小桃红。
——宋·汪珠《李花》

桃花坞里桃花庵，桃花庵下桃花仙。
桃花仙人种桃树，又摘桃花换酒钱。
酒醒只在花前坐，酒醉还来花下眠。
半醉半醒日复日，花落花开年复年。
但愿老死花酒间，不愿鞠躬车马前。
车尘马足显者事，酒盏花枝隐士缘。
若将显者比隐士，一在平地一在天。
若将花酒比车马，彼何碌碌我何闲。
别人笑我太疯癫，我笑他人看不穿。
不见五陵豪杰墓，无花无酒锄作田。
——明·唐寅《桃花庵歌》

桃花雨过水连天，古树高岸乱玉泉。
独立溪头穷物理，不知斜日落平川。
——明·唐寅《桃花雨过图》

一年一度花上市，眼底扬州十二春。
泠泠东风开燕剪，碧桃细柳雨中新。
——清·黄慎《花卉图·桃花》

二月春归风雨天，碧桃花下感流年。
残红尚有三千树，不及初开一朵鲜。
——清·袁枚《题桃树》

无言淑态缀新枝，仙李蟠根孰可移？
脉脉如君真雅淡，清姿何处不相宜。
——清·任熏《花卉八屏·之一》

唤雨鸠鸣酿晓阴，桃花凝笑怯春醒。
欲寻四十年前梦，画腊迷茫又一程。
——现代·谢稚柳《桃花春鸠图》

【杏花类】

春色方盈野，枝枝绽翠英。依稀映村坞，烂漫开山城。好折待宾客，金盘衬红琼。
——南北朝·庾信《杏花》

杏园千树欲随风，一醉同人此暂同。
老态忽忘丝管里，衰颜宜解酒杯中。
曲江日暮残红在，翰苑年深旧事空。
二十四年流落者，故人相引到花丛。
——唐·四友（崔群/李绛/白居易/刘禹锡）《杏园联句》

废苑杏花在，行人愁到时。独开新堑底，半露旧烧枝。

晚色连荒辙，低阴覆折碑。茫茫古陵下，春尽又谁知。

——唐·张籍《古苑杏花》

居邻北郭古寺空，杏花两株能白红。
曲江满园不可到，看此宁避雨与风。
二年流窜出岭外，所见草木多异同。
冬寒不严地恒泄，阳气发乱无全功。
浮花浪蕊镇长有，才开还落瘴雾中。
山榴踯躅少意思，照耀黄紫徒为丛。
鹧鸪钩辀猿叫歇，杳杳深谷攒青枫。
岂如此树一来玩，若在京国情何穷。
今旦胡为忽惆怅，万片飘泊随西东。
明年更发应更好，道人莫忘邻家翁。

——唐·韩愈《杏花》

忽忆芳时频酩酊，却寻醉处重徘徊。
杏花结子春深后，谁解多情又独来。

——唐·白居易《重寻杏园》

不与江水接，自出林中央。穿花复远水，一山闻杏香。我来持茗瓯，日屡此来尝。

——唐·姚合《杏溪·杏水》

红花初绽雪花繁，重叠高低满小园。
正见盛时犹怅望，岂堪开处已缤翻。
情为世累诗千首，醉是吾乡酒一樽。
杳杳艳歌春日午，出墙何处隔朱门。

——唐·温庭筠《杏花》

夜来微雨洗芳尘，公子骅骝步贴匀。

莫怪杏园憔悴去，满城多少插花人。

——唐·杜牧《杏园》

活色生香第一流，手中移得近青楼。

谁知艳性终相负，乱向春风笑不休。

——唐·薛能《杏花》

诗家偏为此伤情，品韵由来莫与争。

解笑亦应兼解语，只应慵语倩莺声。

——唐·司空图《杏花》

能艳能芳自一家，胜鸾胜凤胜烟霞。

客来须共醒醒看，碾尽明昌几角茶。

——唐·司空图《力疾山下吴村看杏花》

不学梅欺雪，轻红照碧池。小桃新谢后，双燕却来时。

香属登龙客，烟笼宿蝶枝。临轩须貌取，风雨易离披。

——唐·郑谷《杏花》

遮莫江头柳色遮，日浓莺睡一枝斜。

女郎折得殷勤看，道是春风及第花。

——唐·郑谷《曲江红杏》

春物竞相妒，杏花应最娇。红轻欲愁杀，粉薄似啼销。愿作南华蝶，翩翩绕此条。

——唐·吴融《杏花》

粉薄红轻掩敛羞，花中占断得风流。

软非因醉都无力，凝不成歌亦自愁。
独照影时临水畔，最含情处出墙头。
裴回尽日难成别，更待黄昏对酒楼。

——唐·吴融《杏花》

一枝红艳出墙头，墙外行人正独愁。
长得看来犹有恨，可堪逢处更难留！
林空色暝莺先到，春浅香寒蝶未游。
更忆帝乡千万树，澹烟笼日暗神州。

——唐·吴融《途中见杏花》

团雪上晴梢，红明映碧寥。店香风起夜，村白雨休朝。
静落犹和蒂，繁开正蔽条。澹然闲赏久，无以破妖娆。

——唐·温宪《杏花》

粉英香萼一般般，无限行人立马看。
村女浴蚕桑柘绿，枉将颜色忍春寒。

——唐·王周《道中未开木杏花》

蓓蕾枝梢血点干，粉红腮颊露春寒。
不禁烟雨轻欹着，只好亭台爱惜看。
偎柳旁桃斜欲坠，等莺期蝶猛成团。
京师巷陌新晴后，卖得风流更一般。

——宋·林逋《杏花》

东城渐觉风光好，縠皱波纹迎客棹。
绿杨烟外晓寒轻，红杏枝头春意闹。
浮生长恨欢娱少，肯爱千金轻一笑。

为君持酒劝斜阳，且向花间留晚照。

——宋・宋祁《玉楼春》

一陂春水绕花身，身影妖娆各占春。
纵被春风吹作雪，绝胜南陌碾成尘。

——宋・王安石《北陂杏花》

零露泫月蕊，温风散晴葩。春工了不睡，连夜开此花。
芳心谁剪刻，天质自清华。恼客香有无，弄妆影横斜。
中山古战国，杀气浮高牙。丛台余袨服，易水雄悲笳。
自从此花开，玉肌洗尘沙。坐令游侠窟，化作温柔家。
我老念江海，不饮空咨嗟。刘郎归何日，红桃烁残霞。明年花开时，举酒望三巴。

——宋・苏轼《三月二十日多叶杏盛开》

飘径梅英雪未融。芳菲消息到，杏梢红。
来年欢事水西东。凝思久，不语坐书空。

——宋・贺铸《小重山》

溪山掩映斜阳里。楼台影动鸳鸯起。隔岸两三家，出墙红杏花。
绿杨堤下路，早晚溪边去。三见柳绵飞，离人犹未归。

——宋・魏玩《菩萨蛮》

残春庭院东风晓。细雨打、鸳鸯寒峭。花尖望见秋千了。无路踏青斗草。人别后、碧云信杳。对好景、愁多欢少。等他燕子传音耗，红杏开也未到。

——宋·朱敦儒《杏花天》

我行浣花村，红杏红于染。数树照南陂，一林藏北崦。
虽惭岭梅高，繁丽岂易贬。雨丝飞复止，云叶低未敛。
似嫌风日紧，护此燕脂点。身闲得纵观，无语吾所歉。

——宋·陆游《江路见杏花》

蜡红枝上粉红云，日丽烟浓看不真。
浩荡光风无畔岸，如何锁得杏园春。

——宋·范成大《云露堂前杏花》

道白非真白，言红不若红。请君红白外，别眼看天工。

——宋·杨万里《杏花》

浅注胭脂剪绛绡，独将妖艳冠花曹。
春心自得东君意，远胜玄都观里桃。

——宋·朱淑真《杏花》

古木阴中系短篷，杖藜扶我过桥东。
沾衣欲湿杏花雨，吹面不寒杨柳风。

——宋·释志南《绝句》

谁家池馆静萧萧，斜倚朱门不敢敲。

一段好春藏不尽，粉墙斜露杏花梢。

——宋·张良臣《偶题》

应怜屐齿印苍苔，小扣柴扉久不开。
春色满园关不住，一枝红杏出墙来。

——宋·叶绍翁《游园不值》

物色春来多入画，赵昌片幅落吾家。
翠禽欲起还林去，可是多情为杏花。

——宋·舒岳祥《题杏花翠羽》

杏花墙外一枝横，半面宫妆出晓晴。
看尽春风不回首，宝儿元是太憨生。

——元·元好问《杏花杂诗》

露浥清华粉自添，隔溪遥见玉帘苫。
眼看桃李飘零尽，更拣繁枝插帽檐。

——元·元好问《杏花杂诗》

半抱春寒薄染烟，一梢斜露曲墙边。
东家小女贪妆裹，听买新花破晓眠。

——明·沈周《杏花》

燕子归来杏子花，红桥低影绿池斜。
清明时节斜阳里，个个行人问酒家。

——明·唐寅《题杏林春燕图》

去时寒蕊始含苞，回看新英绽树梢。
万物形形还色色，不须观象注羲爻。

——清·弘历《杏花图·之一》

陇首连林葩吐荣，澹烟微雨过清明。
得教扑鼻香风拂，便拟灵岩山下行。
——清·弘历《杏花图·之二》

讵必北方杏不嘉，开时常是溷尘沙。
今春雨露真滋润，请看于梅可大差。
——清·弘历《杏花图·之三》

杏帘招客饮，在望有山庄。菱荇鹅儿水，桑榆燕子梁。一畦春韭绿，十里稻花香。盛世无饥馁，何须耕织忙。
——清·曹雪芹《红楼梦·杏帘在望》

九十韶光一半春，红红白白斗芳新。
仙坛灶冷空陈迹，佛寺园荒尽劫尘。
幻去梨花同入梦，归来杏子已生仁。
粉痕脂艳织埃净，始信先生笔有神。
——清·任熏《花卉八屏·之一》

赐箫疏雨江南路，深巷卖花蜀国春。
回日应怜头共白，去时已后逐芳尘。
——现代·谢稚柳《杏花春雨》

【梨花类】

擅美玄光侧，传芳瀚海中。凤文疏象郡，花影丽新丰。色对瑶池紫，甘依大谷红。若令逢汉主，还冀识张公。

——唐·李峤《梨》

艳静如笼月，香寒未逐风。桃花徒照地，终被笑妖红。

——唐·钱起《梨花》

纱窗日落渐黄昏，金屋无人见泪痕。寂寞空庭春欲晚，梨花满地不开门。

——唐·刘方平《春怨》

梨花有思缘和叶，一树江头恼杀君。最似孀闺少年妇，白妆素袖碧纱裙。

——唐·白居易《江岸梨花》

接长亭，迷远道。堪怨王孙，不记归期早。落尽梨花春又了。满地残阳，翠色和烟老。

——宋·梅尧臣《苏幕遮》

梨花淡白柳深青，柳絮飞时花满城。惆怅东栏二株雪，人生看得几清明。

——宋·苏轼《东栏梨花》

桃花人面各相红，不及天然玉作容。总向风尘尘莫染，轻轻笼月倚墙东。

——宋·黄庭坚《次韵梨花》

压沙寺后千株雪，长乐坊前十里香。
寄语春风莫吹尽，夜深留与雪争光。

——宋·黄庭坚《压沙寺梨花》

沙头十日春，当日谁手种。风飘香未改，雪压枝自重。
看花思食实，知味少人共。霜降百工休，把酒约宽纵。

——宋·黄庭坚《次韵晋之五丈赏压沙寺梨花》

雪压庭春，香浮花月，揽衣还怯单薄。欹枕裴回，又听一声干鹊。粉泪共、宿雨阑干，清梦与、寒云寂寞。除却，是江梅曾许，诗人吟作。
长恨晓风漂泊，且莫遣香肌，瘦减如削。深杏夭桃，端的为谁零落。况天气、妆点清明，对美景、不妨行乐。拌着，向花时取，一杯独酌。

——宋·朱淑真《月华清·梨花》

粉淡香清自一家，未容桃李占年华。
常思南郑清明路，醉袖迎风雪一杈。

——宋·陆游《梨花》

梨花香，愁断肠。千杯酒，解思量。世间事，皆无常。
为情伤，笑沧桑。万行泪，化寒窗。有聚有散，有得有失。一首梨花辞，几多伤离别。

——宋·陈亮《梨花辞》

春游浩荡，是年年、寒食梨花时节。白锦无纹香烂漫，玉树琼葩堆雪。静夜沉沉，浮光霭霭，冷浸溶溶月。人间天上，烂银霞照通彻。浑似姑射真人，天姿灵秀，意气舒高洁。万化参差谁信道，不与群芳同列。浩气清英，仙材卓荦，下土难分别。瑶台归去，洞天方看清绝。

——元·丘处机《无俗念·灵虚宫梨花词》

冰雪肌肤香韵细，月明独倚阑干。游丝萦惹宿烟环。东风吹不散，应为护轻寒。

素质不宜添彩色，定知造物非悭。杏花才思又凋残。玉容春寂寞，休向雨中看。

——元·刘秉忠《临江仙·梨花》

立尽黄昏，袜尘不到凌波处。雪香凝树。懒作阳台雨。

一水相系，脉脉难为语。情何许。向人如诉。寂寞临江渚。

——元·刘秉忠《点绛唇·梨花》

爱一枝香雪，几暮雨，洗妆残。尽空谷幽居，佳人寂寞，泪粉兰干。芳姿似嫌雅淡，问谁将、大药驻朱颜。塞上胭脂夜紫，雪边蝴蝶朝寒。

风流韵远更清闲。醉眼入惊看。甚底事坡仙，被花热恼，惆怅东兰。细倾玉瓶春酒，待月中、横笛倩云鬟。吹散碧桃千树，尽随流水人间。

——元·王恽《木兰花慢·赋红梨花》

当炉女子髻岩巉，窄袖新奇短短衫。
自是江南风景好，梨花小雨燕呢喃。

——清·黄慎《花卉图·梨花》

杨柳黄昏晓西月，梨花明白夜东风。

——现代·吴湖帆《梨花小鸟》

卷起疏帘坠粉，孤啼幽鸟惊蓝。归梦不知春短，梨花风雨江南。

——现代·谢稚柳《梨花》

【海棠类】

春教风景驻仙霞，水面鱼身总带花。人世不思灵卉异，竞将红缬染轻沙。

——唐·薛涛《海棠溪》

着雨胭脂点点消，半开时节最妖娆。谁家更有黄金屋，深锁东风贮阿娇。

——唐·何希尧《海棠》

幽态竟谁赏，岁华空与期。岛回香尽处，泉照艳浓时。蜀彩淡摇曳，吴妆低怨思。王孙又谁恨，惆怅下山迟。

——唐·温庭筠《题磁岭海棠花》

春风用意匀颜色，销得携觞与赋诗。
秾丽最宜新着雨，娇娆全在欲开时。
莫愁粉黛临窗懒，梁广丹青点笔迟。
朝醉暮吟看不足，羡他蝴蝶宿深枝。

——唐·郑谷《咏海棠》

上国休夸红杏艳，深溪自照绿苔矶。
一枝低带流莺睡，数片狂和舞蝶飞。
堪恨路长移不得，可无人与画将归。
手中已有新春桂，多谢烟香更入衣。

——唐·郑谷《路见海棠盛开偶有题咏》

繁于桃李盛于梅，寒食旬前社后开。
半月暄和留艳态，两时风雨免伤摧。
人怜格异诗重赋，蝶恋香多夜更来。
犹得残红向春暮，牡丹相继发池台。

——唐·齐己《海棠花》

云绽霞铺锦水头，占春颜色最风流。
若教更近天街种，马上多逢醉五侯。

——唐·吴融《海棠》

绿娇隐约眉轻扫，红嫩妖娆脸薄妆。
巧笔写传功未尽，清才吟咏兴何长。

——宋·王安石《海棠》

东风袅袅泛崇光，香雾空蒙月转廊。
只恐夜深花睡去，故烧高烛照红妆。

——宋·苏轼《海棠》

春雨夜有声，连林杏花落。海棠已复动，寒食岂寂寞。
人间有此丽，赴我隔年约。花叶两分明，春阴耿帘幕。
东风吹不断，日暮胭脂薄。何可无我吟，三叫恨诗恶。

——宋·陈与义《海棠》

浣花红绿四回环，何事轻阴作嫩寒。
应是化工知胜处，海棠宜向雨中看。

——宋·曹勋《小雨看海棠》

人间奇草木，天必付名流。菊待陶元亮，竹须王子猷。
我为西蜀客，辱与海棠游。再见应无日，开图特地愁。

——宋·陆游《海棠图》

蜀地名花擅古今，一枝气可压千林。
讥弹更到无香处，常恨人言太刻深。

——宋·陆游《海棠》

雨霁风和日渐长，小园尊酒答年光。
直令桃李能言语，何似多情睡海棠？

——宋·陆游《久雨骤晴山园桃李烂漫独海棠未甚开戏作》

留落犹能领物华，名园又作醉生涯。
何妨海内功名士，共赏人间富贵花。

——宋·陆游《留樊亭三日王觉民检详日携酒来

饮海棠下比去花亦衰矣》

厌烦只欲长面壁，此心安得顽如石。
杜门复出叹习气，止酒还开惭定力。
成都二月海棠开，锦绣裹城迷巷陌。
燕宫最盛号花海，霸国雄豪有遗迹。
猩红鹦绿极天巧，叠萼重跗眩朝日。
繁华一梦忽吹散，闭眼细思犹历历。
忧乐相寻岂易知，故人应记醉中诗。
夜阑风雨嘉州驿，愁向屏风见折枝。

——宋·陆游《驿舍见故屏风画海棠有感》

垂丝别得一风光，谁道全输蜀海棠。
风搅玉皇红世界，日烘青帝紫衣裳。
懒无气力仍春醉，睡起精神欲晓妆。
举似老夫新句子，看渠桃杏敢承当。

——宋·杨万里《垂丝海棠》

胭脂为脸玉为肌，未赴春风二月期。
曾比温泉妃子睡，不吟西蜀杜陵诗。
桃羞艳冶愁回首，柳妒妖娆只皱眉。
燕子欲归寒食近，黄昏庭院雨丝丝。

——宋·朱淑真《海棠》

天公作晚晴，得得送行客。海棠新过雨，染就胭脂色。醉脸娇未匀，啼妆红欲滴。劝君白玉卮，一醉不足惜。我生酷爱花，为君须小摘。后夜月满船，持此伴幽寂。

——宋·蔡戡《钱张平甫折海棠赠之》

海棠枝上东风软。荡霁色、烟光弄暖。
双双燕子归来晚。零落红香过半。
——宋·谢懋《杏花天》

幽姿淑态弄春情，梅借风流柳借轻。
种处静宜临野水，开时长是尽清明。
及经夜雨香犹在，染尽胭脂画不成。
诗老无心为题拂，至今惆怅似含情。
——宋·刘子翚《海棠》

枝间新绿一重重，小蕾深藏数点红。
爱惜芳心莫轻吐，且教桃李闹春风。
——元·元好问《同儿辈赋未开海棠》

蜀禽啼血染冰蕤。趁花期。占芳菲。翠袖盈盈，
凝笑弄晴晖。比尽世间谁似得，飞燕瘦，玉环肥。
一番风雨未应稀。怨春迟。怕春归。恨不高张，
红锦百重围。多载酒来连夜看，嫌化作，彩云飞。
——元·元好问《江城子·效花间体咏海棠》

褪尽东风满面妆，可怜蝶粉与蜂狂。
自今意思和谁说，一片春心付海棠。
——明·唐寅《题海棠美人图》

华清浴罢属王家，翠袖临风舞绛纱。
空使六宫春睡足，秋来沉醉海棠花。
——清·黄慎《花卉图·海棠花》

半卷湘帘半掩门，碾冰为土玉为盆。

偷来梨蕊三分白，借得梅花一缕魂。
月窟仙人缝缟袂，秋闺怨女拭啼痕。
娇羞默默同谁诉？倦倚西风夜已昏。
——清·曹雪芹《红楼梦·咏白海棠》

无风无雨送残春，一角园林独怆神。
读史早知今日事，看花犹是去年人。
梦回锦里愁如海，酒醒黄州雪作尘。
闻道通明同换劫，绿章谁省泪沾襟。
——现代·陈寅恪《吴氏园海棠》

【玉兰类】

翠条多力引风长，点破银花玉雪香。
韵友自知人意好，隔帘轻解白霓裳。
——明·沈周《题玉兰》

绰约新妆玉有辉，素娥千队雪成围。
我知姑射真仙子，天遗霓裳试羽衣。
影落空阶初月冷，香生别院晚风微。
玉环飞燕原相敌，笑比江梅不恨肥。
——明·文徵明《咏玉兰》

霓裳片片晚妆新，束素亭亭玉殿春。
已向丹霞生浅晕，故将清露作芳尘。
——明·睦石《玉兰》

阆苑移根巧耐寒，此花端合雪中看。
羽衣仙女纷纷下，齐戴华阳玉道冠。

——清·查慎行《雪中玉兰花盛开》

芦帘不卷日西斜，生长蓬蒿仲蔚家。
无数幽怀何处着，一泓春水玉兰花。

——清·黄慎《花卉图·玉兰花》

刻玉玲珑，吹兰芬馥，搓酥滴份丰姿。缟衣霜袂，赛过紫辛夷。自爱临风皎皎，笑溱洧、芍药纷遗。藐姑射，肌肤凝雪，烟雨画楼西。开齐，还也未。绵苞乍褪，鹤翅初披。称水晶帘映，云母屏依。绰约露含日，冰轮转、环参差。问琼英、返魂何处，清梦绕瑶池。

——清·朱廷钟《满庭芳·玉兰》

【牡丹芍药类】

绿艳闲且静，红衣浅复深。花心愁欲断，春色岂知心。

——唐·王维《红牡丹》

丈人庭中开好花，更无凡木争春华。
翠茎红蕊天力与，此恩不属黄钟家。
温馨熟美鲜香起，似笑无言习君子。
霜刀剪汝天女劳，何事低头学桃李。
娇痴婢子无灵性，竞挽春衫来此并。
欲将双颊一晞红，绿窗磨遍青铜镜。
一尊春酒甘若饴，丈人此乐无人知。
花前醉倒歌者谁，楚狂小子韩退之。

——唐·韩愈《芍药歌》

去春零落暮春时，泪湿红笺怨别离。
常恐便同巫峡散，因何重有武陵期？
传情每向馨香得，不语还应彼此知。
只欲栏边安枕席，夜深闲共说相思。

——唐·薛涛《牡丹》

庭前芍药妖无格，池上芙蕖净少情。
唯有牡丹真国色，花开时节动京城。

——唐·刘禹锡《赏牡丹》

惆怅阶前红牡丹，晚来唯有两枝残。
明朝风起应吹尽，夜惜衰红把火看。

——唐·白居易《惜牡丹花》

今日阶前红芍药，几花欲老几花新。
开时不解比色相，落后始知如幻身。
空门此去几多地？欲把残花问上人。

——唐·白居易《感芍药花寄正一上人》

凡卉与时谢，妍华丽兹晨。欹红醉浓露，窈窕留余春。孤赏白日暮，暄风动摇频。夜窗蔼芳气，幽卧知相亲。愿致溱洧赠，悠悠南国人。

——唐·柳宗元《戏题阶前芍药》

芍药绽红绡，巴篱织青琐。繁丝蹙金蕊，高焰当炉火。翦刻彤云片，开张赤霞裹。烟轻琉璃叶，风亚珊瑚朵。受露色低迷，向人娇婀娜。酡颜醉后泣，小女妆成坐。

艳艳锦不如，夭夭桃未可。晴霞畏欲散，晚日愁将堕。结植本为谁，赏心期在我。采之谅多思，幽赠何由果。

——唐·元稹《红芍药》

何人不爱牡丹花，占断城中好物华。
疑是洛川神女作，千娇万态破朝霞。

——唐·徐凝《赏牡丹》

似共东风别有因，绛罗高卷不胜春。
若教解语应倾国，任是无情亦动人。
芍药与君为近侍，芙蓉何处避芳尘。
可怜韩令功成后，辜负秾华过此身。

——唐·罗隐《牡丹花》

落尽残红始吐芳，佳名唤作百花王。
竞夸天下无双艳，独占人间第一香。

——唐·皮日休《牡丹》

闺中莫妒新妆妇，陌上须惭傅粉郎。
昨夜月明浑似水，入门唯觉一庭香。

——唐·韦庄《白牡丹》

香清粉澹怨残春，蝶翅蜂须恋蕊尘。
闲倚晚风生怅望，静留迟日学因循。
休将薜荔为青琐，好与玫瑰作近邻。
零落若教随暮雨，又应愁杀别离人。

——唐·张泌《芍药》

腻若裁云薄缀霜，春残独自殿群芳。

梅妆向日霏霏暖，纨扇摇风闪闪光。
月魄照来空见影，露华凝后更多香。
天生洁白宜清净，何必殷红映洞房。
——唐·吴融《僧舍白牡丹》

山丹丽质冠年华，复有余容殿百花。
看取三春如转影，折来一笑是生涯。
绮罗不妒倾城色，蜂蝶难窥上相家。
京国十年昏病眼，可怜风雨落朝霞。
——宋·洪炎《次韵许子大李丞相宅牡丹芍药诗》

娇娆万态逞殊芳，花品名中占得王。
莫把倾城比颜色，从来家国为伊亡。
——宋·朱淑真《牡丹》

牡丹比得谁颜色。似宫中、太真第一。
渔阳鼙鼓边风急。人在沉香亭北。
——宋·辛弃疾《杏花天》

杜郎俊赏，算而今，重到须惊。纵豆蔻词工，青楼梦好，难赋深情。二十四桥仍在，波心荡、冷月无声。念桥边红药，年年知为谁生？
——宋·姜夔《扬州慢》

富贵风流拔等伦，百花低首拜芳尘。
画栏绣幄围红玉，云锦霞裳涓翠茵。
天上有香能盖世，国中无色可为邻。
名花也自难培植，合费天公万斛春。
——元·李孝光《牡丹》

倚槛娇无力，临风香自生。旧时姚魏种，高压洛阳城。

——明·唐寅《牡丹图》

谷雨花枝号鼠姑，戏拈彤管画成图。
平康脂粉知多少，可有相同颜色无。

——明·唐寅《牡丹图》

故事开元重牡丹，沉香亭北冷泉南。
如今颜色还依旧，风雨江东月润三。

——明·唐寅《牡丹图》

花到将离继腊姑，腰枝柔弱倩谁扶。
美人睡起新妆罢，醉粉狂香颊印朱。
傍砌翻阶接屐趋，风姿拂槛露萦纡。
哪知开谢留新谱，并帝重台心赏俱。

——清·任熏《花卉八屏·之一》

摩罗西域竟时妆，东海樱花侈国香。
阅尽大千春世界，牡丹终古是花王。

——清·王国维《题御笔牡丹》

烂漫却愁零落近，叮咛且莫十分开。

——现代·高剑父《牡丹》

富贵黄家未足珍，江南野逸愿为邻。
岂有梦中传彩笔，自商落墨染朝云。

——现代·谢稚柳《牡丹》

凝想姚家旧粉颜，嫩黄和露玉婵娟。

幽栏香噀如粼水，花气熏人欲破禅。

——现代·谢稚柳《画黄牡丹》

窈窕名葩第一家，紫光芳色驻年华。
洛川已惹陈王赋，只得惊鸿一眼赊。

——现代·谢稚柳《魏紫》

魏姓姚家旧擅名，娇黄姹紫斗轻盈。
眼前便有当垆面，却笑相如赋不成。

——现代·谢稚柳《牡丹一种粉红色名当垆面，偶写此图戏题》

【玫瑰蔷薇类】

低树讵胜叶，轻香幸自通。发萼初攒紫，余采尚霏红。新花对白日，故蕊逐行风。参差不俱曜，谁肯盼微丛？

——南北朝·谢朓《咏蔷薇》

当户种蔷薇，枝叶太葳蕤。不摇香已乱，无风花自飞。春闺不能静，开匣对明妃。曲池浮采采，斜岸列依依。或闻好音度，时见衔泥归。且对清觞湛，其余任是非。

——南北朝·江洪《咏蔷薇诗》

袅袅长数寻，青青不作林。
一茎独秀当庭心，数枝分作满庭阴。
春日迟迟欲将半，庭影离离正堪玩。
枝上莺娇不畏人，叶底蛾飞自相乱。
秦家女儿爱芳菲，画眉相伴采葳蕤。
高处红须欲就手，低边绿刺已牵衣。
蒲萄架上朝光满，杨柳园中暝鸟飞。
连袂踏歌从此去，风吹香气逐人归。

——唐·储光羲《蔷薇》

朵朵精神叶叶柔，雨晴香拂醉人头。
石家锦帐依然在？闲倚狂风夜不收。

——唐·杜牧《蔷薇花》

日射纱窗风撼扉，香罗拭手春事违。
回廊四合掩寂寞，碧鹦鹉对红蔷薇。

——唐·李商隐《日射》

浓似猩猩初染素，轻如燕燕欲凌空。
可怜细丽难胜日，照得深红作浅红。

——唐·皮日休《重题蔷薇》

根本似玫瑰，繁英刺外开。香高丛有架，红落地多苔。
去住闲人看，晴明远蝶来。牡丹先几日，销歇向尘埃。

——唐·齐己《蔷薇》

万卉春风度，繁花夏景长。馆娃人尽醉，西子始新妆。

——唐·吴融《蔷薇》

芳菲移自越王台，最似蔷薇好并栽。
秾艳尽怜胜彩绘，嘉名谁赠作玫瑰。
春藏锦绣风吹拆，天染琼瑶日照开。
为报朱衣早邀客，莫教零落委苍苔。

——唐·徐寅《司直巡官无诸移到玫瑰花》

一夕轻雷落万丝，霁光浮瓦碧参差。
有情芍药含春泪，无力蔷薇卧晓枝。

——宋·秦观《春日》

彤阙收红暖，金门赐鞠衣。若无纤刺骨，一摘便须稀。

——宋·洪适《黄蔷薇》

非关月季姓名同，不与蔷薇谱牒通。
接叶连枝千万绿，一花两色浅深红。
风流各自燕支格，雨露何私造化功。
别有国香收不得，诗人熏入水沉中。

——宋·杨万里《红玫瑰》

飞葩散乱拥栏香，万朵千枝不计行。
烂漫初开向清昼，会稽太守户还乡。

——宋·朱淑真《蔷薇花》

【栀子类】

素华偏可喜，的的半临池。疑为霜裹叶，复类雪封枝。日斜光隐见，风还影合离。

——南北朝·萧纲《咏栀子花》

栀子比众木，人间诚未多。于身色有用，与道气相和。

红取风霜实，青看雨露柯。无情移得汝，贵在映江波。

——唐·杜甫《栀子》

蜀国花已尽，越桃今已开。色疑琼树倚，香似玉京来。

且赏同心处，那忧别叶催。佳人如拟咏，何必待寒梅。

——唐·刘禹锡《和令狐相公咏栀子花》

树恰人来短，花将雪样年。孤姿妍外净，幽馥暑中寒。

有朵篸瓶子，无风忽鼻端。如何山谷老，只为赋山矾。

——宋·杨万里《栀子花》

一根曾寄小峰峦，苫葡香清水影寒。

玉质自然无暑意，更宜移就月中看。

——宋·朱淑真《水栀子》

捍不求知色自然，朝来何许雪华鲜。

如行佛国参知识，未嫁仙姿益净娟。

梅子已黄犹夜雨，客游方倦作春眠。
地卑山近征衣润，不费熏炉一炷烟。
——宋·刘过《咏余商卿栀子花》

玉瓣凉丛拥翠烟，南熏池阁灿云仙。
芳林园里谁曾赏，檐卜坊中自可禅。
明艳倚娇攒六出，净香乘烈袅孤妍。
风霜成实秋原晚，付与华灯作样传。
——宋·董嗣杲《栀子花》

当年曾记晋华林，望气红黄栀子深。
有敕诸宫勤守护，花开如玉子如金。
此花端的名檐卜，千佛林中清更洁。
从知帝母佛同生，移向慈元供寿佛。
——宋·王义山《王母祝语·栀子花诗》

抽白媲黄总称才，谁遣山栀人画来？
似为诗家少知己，杜陵吟罢不曾开。
——明·李东阳《栀子花》

【凤仙类】

蜡光高悬照纱空，花房夜捣红守宫。
象口吹香毾㲪暖，七星挂城闻漏板。
寒入罘罳殿影昏，彩鸾帘额着霜痕。
啼蛄吊月钩栏下，屈膝铜铺锁阿甄。
梦入家门上沙渚，天河落处长洲路。
愿君光明如太阳，放妾骑鱼撇波去。

——唐·李贺《宫娃歌》

九苞颜色春霞萃，丹樨威仪秀气攒。
题品直须名最上，昂昂骧首倚朱栏。

——宋·晏殊《金凤花》

细看金凤小花丛，费尽司花染作工。
雪色白边袍色紫，更饶深浅日般红。

——宋·杨万里《凤仙花》

金盘和露捣仙葩，解使纤纤玉有瑕。
一点愁疑鹦鹉啄，十分春上牡丹芽。
娇弹粉泪抛红豆，戏掐花枝缕绛霞。
女伴相逢频借问，几番错认守宫砂。

——元·杨维桢《凤仙花》

铁马声喧风力紧，云窗梦破鸳鸯冷。
玉炉烧麝有余香，罗扇扑萤无定影。
洞箫一曲是谁家？河汉西流月半斜。
要染纤纤红指甲，金盆夜捣凤仙花。

——明·瞿佑《渭塘奇遇记》

【萱花类】

屣步寻芳草，忘忧自结丛。黄英开养性，绿叶正依笼。色湛仙人露，香传少女风。还依北堂下，曹植动文雄。

——唐·李峤《萱》

何人树萱草，对此郡斋幽。本是忘忧物，今夕重生忧。丛疏露始滴，芳余蝶尚留。还思杜陵圃，离披风雨秋。

——唐·韦应物《对萱草》

萱草生堂阶，游子行天涯。慈母依堂门，不见萱草花。

——唐·孟郊《游子》

芳草比君子，诗人情有由。只应怜雅态，未必解忘忧。积雨莎庭小，微风藓砌幽。莫言开太晚，犹胜菊花秋。

——唐·李咸用《萱草》

萱草虽微花，孤秀能自拔。亭亭乱叶中，一一芳心插。

——宋·苏轼《萱草》

萱草朝始开，呀然黄鹄觜。仰吸日出光，口中烂如绮。

纤纤吐须鬣，冉冉随风哆。朝阳未上轩，粲粲幽闲女。
美女生山谷，不解歌与舞。君看野草花，可以解忧悴。

——宋·苏辙《赋园中萱草》

春条拥深翠，夏花明夕阴。北堂罕悴物，独尔淡冲襟。

——宋·朱熹《萱草》

幽花独殿众芳红，临砌亭亭发几丛。
乱叶离披经宿雨，纤茎窈窕擢熏风。
佳人作佩频朝采，倦蝶寻香几处通。
最爱看来忧尽解，不须更酿酒多功。

——明·高启《萱草》

漆园椿树千年色，堂北萱根三月花。
巧画斑衣相向舞，双亲从此寿无涯。

——明·唐寅《椿萱图》

北堂草树发新枝，堂上莱衣献寿卮。
愿祝一花添一岁，年年长庆赏花时。

——明·唐寅《椿草图》

【玉簪茉莉类】

瑶池仙子宴流霞，醉里遗簪幻作花。
万斛浓香山麝馥，随风吹落到君家。
——宋·王安石《玉簪》

宴罢瑶池阿母家，嫩琼飞上紫云车。
玉簪堕地无人拾，化作江南第一花。
——宋·黄庭坚《玉簪》

麝脑龙涎韵不作，熏风移种自南州。
谁家浴罢临妆女，爱把闲花插满头。
——宋·杨巽斋《茉莉》

天赋仙姿，玉骨冰肌。向炎威，独逞芳菲。轻盈雅淡，初出香闺。是水宫仙，月宫子，汉宫妃。
清夸苫卜，韵胜酴醾。笑江梅，雪里开迟。香风轻度，翠叶柔枝。与王郎摘，美人戴，总相宜。
——宋·姚述尧《行香子·茉莉花》

佳人自南国，绝世号倾城。色入三江重，香含百越清。
凌炎繁雪乱，傲午数星横。珍重笼予发，殷勤感汝情。
——明·徐石麒《茉莉》

昨夜花神出蕊宫，绿云袅袅不禁风。
妆成试照池边影，只恐搔头落水中。

——明·李东阳《玉簪花》

嫦娥云髻玉簪斜，落地飘然化作花。
犹带九天仙子气，清香冉冉透窗纱。

——清·梁清芬《玉簪花》

【荷花莲花类】

泽陂有微草，能花复能实。碧叶喜翻风，红英宜照日。移居玉池上，托根庶非失。如何霜露交，应与飞蓬匹。

——南北朝·江洪《咏荷诗》

灼灼荷花瑞，亭亭出水中。一茎孤引绿，双影共分红。色夺歌人脸，香乱舞衣风。名莲自可念，况复两心同。

——隋·杜公瞻《咏同心芙蓉》

新溜满澄陂，圆荷影若规。风来香气远，日落盖阴移。

鱼戏排缃叶，龟浮见绿池。魏朝难接采，楚服但同披。

——唐·李峤《荷》

山光忽西落，池月渐东上。散发乘夕凉，开轩卧闲敞。

荷风送香气，竹露滴清响。欲取鸣琴弹，恨无知音赏。

——唐·孟浩然《夏日南亭怀辛大》

清水出芙蓉，天然去雕饰。

——唐·李白《书怀赠江夏韦太守良宰》

涉江玩秋水，爱此红蕖鲜。攀荷弄其珠，荡漾不成圆。

佳人彩云里，欲赠隔远天。相思无因见，怅望凉风前。

——唐·李白《折荷有赠》

碧荷生幽泉，朝日艳且鲜。秋花冒绿水，密叶罗青烟。

秀色空绝世，馨香竟谁传。坐看飞霜满，凋此红芳年。

——唐·李白《古风》

糁径杨花铺白毡，点溪荷叶叠青钱。

笋根雉子无人见，沙上凫雏傍母眠。

——唐·杜甫《漫兴》

素花多蒙别艳欺，此花真合在瑶池。
无情有恨何人觉？月晓风清欲堕时。
——唐·陆龟蒙《白莲》

近来灵鹊语何疏，独凭栏干恨有殊。
一夜绿荷霜剪破，赚他秋雨不成珠。
——唐·来鹄《偶题》

绿塘摇滟接星津，轧轧兰桡入白苹。
应为洛神波上袜，至今莲蕊有香尘。
——唐·温庭筠《莲花》

两竿落日溪桥上，半缕轻烟柳影中。
多少绿荷相倚恨，一时回首背西风。
——唐·杜牧《齐安郡中偶题》

荷叶生时春恨生，荷叶枯时秋恨成。
深知身在情长在，怅望江头江水声。
——唐·李商隐《暮秋独游曲江》

世间花叶不相伦，花入金盆叶作尘。
惟有绿荷红菡萏，卷舒开合任天真。
此花此叶长相映，翠减红衰愁杀人。
——唐·李商隐《赠荷花》

凿破苍苔作小池，芰荷分得绿参差。
晓来一朵烟波上，似画真妃出浴时。
——宋·杜衍《莲花》

水陆草木之花，可爱者甚蕃。晋陶渊明独爱菊，自李唐来，世人甚爱牡丹。予独爱莲之出淤泥而不染，濯清涟而不妖，中通外直，不蔓不枝，香远益清，亭亭净植，可远观而不可亵玩焉。予谓菊，花之隐逸者也；牡丹，花之富贵者也；莲，花之君子者也。噫！菊之爱，陶后鲜有闻，莲之爱，同予者何人？牡丹之爱，宜乎众矣。

——宋·周敦颐《爱莲说》

行行信马横塘畔，烟水秋平岸。
绿荷多少夕阳中。知为阿谁凝恨、背西风。

——宋·秦观《虞美人》

燎沉香，消溽暑。鸟雀呼晴，侵晓窥檐语。
叶上初阳干宿雨，水面清圆，一一风荷举。

——宋·周邦彦《苏幕遮》

红楼斜倚连溪曲，楼前溪水凝寒玉。荡漾木兰船，船中人少年。
荷花娇欲语，笑入鸳鸯浦。波上暝烟低，菱歌月下归。

——宋·魏玩《菩萨蛮》

红藕香残玉簟秋，轻解罗裳，独上兰舟。
云中谁寄锦书来？雁字回时，月满西楼。

——宋·李清照《一剪梅》

泉眼无声惜细流，树阴照水爱晴柔。
小荷才露尖尖角，早有蜻蜓立上头。

——宋·杨万里《小池》

毕竟西湖六月中，风光不与四时同。
接天莲叶无穷碧，映日荷花别样红。

——宋·杨万里《晓出净慈寺送林子方》

秋气堪悲未必然，轻寒正是可人天。
绿池落尽红蕖却，落叶犹开最小钱。

——宋·杨万里《秋凉晚步》

午梦扁舟花底，香满西湖烟水。急雨打篷声，梦初惊。
却是池荷跳雨，散了真珠还聚。聚作水银窝，泛清波。

——宋·杨万里《昭君怨·咏荷上雨》

万柄绿荷衰飒尽，雨中无可盖眠鸥。
当时乍叠青钱满，肯信池塘有暮秋？

——宋·许棐《枯荷》

荷叶五寸荷花娇，贴波不碍画船摇。
相到熏风四五月，也能遮却美人腰。

——清·石涛《荷花》

寒衣欲寄厚装棉，节近重阳又一年。
怕上湖亭萧瑟甚，漫天风雨卸秋莲。

——清·黄慎《花卉图·荷花》

荷绿裹亭深，花气催人睡。凉梦午初回，心随花落去。

——现代·高剑父《荷亭》

荷花如妾叶如郎，写得花长叶亦长。
若使画莲能并蒂，不须重画两鸳鸯。

——现代·冯超然《陂塘冷艳图》

玉立照新妆，翠盖亭亭。凌波步秋漪，真色生香。明铛摇淡月，舞袖斜倚。耿耿芳心标，千缕情丝。萦絮恨开迟不嫁，东风颦怨娇蕊。花底漫卜幽期，素手采珠房。粉艳初洗，雨湿铅腮。碧云深暗聚，软绡清泪。访藕寻莲，楚江远相思。谁寄棹歌回？衣露满身花气，绿盖舞风轻。

——现代·冯超然《荷花双美图》

芙蓉初照日，香雾重锦幄。

——现代·吴湖帆《红荷图》

倚结三生霞佩，采翻十里湖光。水乡深处泥不染，风前一片清香。窈窕魂萦洛浦，依稀梦断潇湘。

犹记当年玉立，愁思九叠回肠。月明人静瑶台下，盈盈倩舞银塘。独具出群标格，何如玉蕊唐昌。

——现代·吴湖帆《五彩结同心》

飘烟六尺腰，日暮秋云晚。自谱采莲歌，不逢张静婉。

——现代·谢稚柳《写莲》

皎洁佩寒玉，清凉披绿衣。荷风散襟抱，并此写灵芬。

——现代·谢稚柳《白莲短卷》

扶醉娇红浪莽廾，烟围雾合噀香来。纵教夜月明辉满，何似朝霞艳锦堆。

——现代·谢稚柳《红蕖》

秋露零芙蓉裳，玉露姿扬秋月。皜皜乎不可尚，流清芬躅可蹑。

——现代·谢稚柳《写荷二首·之一》

微风江上夜如何，翠扇邀凉露几多。正是莲房消酒醒，为赊月色迓凌波。

——现代·谢稚柳《写荷二首·之二》

一岸野风莲萼香。

——现代·唐云《荷韵》

一瓶一钵一诗囊，十里荷花两袖香。

——现代·唐云《荷香清赏图》

【芦花红蓼类】

蒹葭苍苍，白露为霜。所谓伊人，在水一方。溯洄从之，道阻且长。溯游从之，宛在水中央。蒹葭凄凄，白露未晞。所谓伊人，在水之湄。溯洄从之，道阻且跻。溯游从之，宛在水中坻。蒹葭采采，白露未已。所谓伊人，在水之涘。溯洄从之，道阻且右。溯游从之，宛在水中沚。

——先秦·无名氏《诗经·国风·秦风·蒹葭》

钓罢归来不系船，江村月落正堪眠。纵然一夜风吹去，只在芦花浅水边。

——唐·司空曙《江村即事》

醺醺若借嵇康懒，兀兀仍添宁武愚。犹念悲秋更分赐，夹溪红蓼映风蒲。

——唐·杜牧《歙州卢中丞见惠名酝》

长忆西湖，尽日凭阑楼上望。三三两两钓鱼舟，岛屿正清秋。笛声依约芦花里，白鸟成行忽惊起。别来闲整钓鱼竿，思入水云寒。

——宋·潘阆《酒泉子》

江头落日照平沙，潮退渔船搁岸斜。白鸟一双临水立，见人惊起入芦花。

——宋·戴复古《江村晚眺》

江南好，怀故意谁传。燕子矶头红蓼月，乌衣巷口绿杨烟。风景忆当年。

——清·纳兰性德《梦江南》

【鸡冠花类】

亭亭高出竹篱间，露滴风吹血未干。
学得京城梳洗样，染罗包却绿云鬟。

——宋·钱熙《鸡冠花》

如飞如舞对瑶台，一顶春云若剪裁。
谁为移根蓂荚畔，玉鸡应为太平来。

——宋·王令《白鸡冠花》

秋光及物眼犹迷，着叶婆娑拟碧鸡。
精彩十分佯欲动，五更只欠一声啼。

——宋·赵企《鸡冠花》

出墙哪得丈高鸡？只露红冠隔锦衣。
却是吴儿工料事，会稽真个不能啼。

——宋·杨万里《宿化斜桥，见鸡冠花》

何处一声天下白？霜华晚拂绛云冠。
五陵斗罢归来后，独立秋亭血未干。

——元·姚文奂《题画鸡冠花》

鸡冠本是胭脂染，今日为何浅淡妆？
只为五更贪报晓，至今却戴满头霜。

——明·解缙《即兴鸡冠花》

曾听鸡人报晓筹，数声喔喔午门楼。
而今只有闲庭草，绛帻空垂对素秋。

——明·钱士升《鸡冠花》

方其炎蒸甫歇，金风乍飔，群株炫采，烂焉盈枝，尔乃瘦梗寒条，较芙蓉而更寂；疏根朗叶，对篱菊其多思；似班姬退处夫长门，如判萝幽闭乎西施。迨夫青霜降兮木落，白露漂兮草萎，众卉兮凋谢，尔独映乎条枝。凉飙凛凛兮，摧之不能摧；风霰飘零兮，欺之不可欺。尔于是强项独发，傲骨生姿，朱紫奋采，黄白争奇。

——明·仲弘道《鸡冠花赋》

【木芙蓉类】

湘上阴云锁梦魂，江边深夜舞刘琨。
秋风万里芙蓉国，暮雨千家薜荔村。
乡思不堪悲橘柚，旅游谁肯重王孙。
渔人相见不相问，长笛一声归岛门。

——唐·谭用之《秋宿湘江遇雨》

溪边野芙蓉，花木相媚好。
半看池莲尽，独伴霜菊槁。

——宋·欧阳修《芙蓉花》

红芳晓露浓，绿树秋风冷。
共喜巧回春，不妨闲弄影。

——宋·欧阳修《芙蓉花》

水边无数木芙蓉，露染燕脂色未浓。
正似美人初醉着，强抬青镜欲妆慵。

——宋・王安石《木芙蓉》

洞户掩秋深，画桥横晚静。袅袅芙蓉风，池光弄花影。
怀我白鸥边，锦帐缭千顷。明河拍岸平，红绿染天镜。
钓船无畔岸，收拾入簿领。墙籓束院落，寒窘令人瘿。

——宋・范成大《涘木芙蓉盛开，有怀故园》

如何天赋与芬芳，徒作佳人淡伫妆。
试倩东风一为主，轻黄应不让姚黄。

——宋・朱淑真《黄芙蓉》

【桂花类】

未殖银宫里，宁移玉殿幽。枝生无限月，花满自然秋。
侠客条为马，仙人叶作舟。愿君期道术，攀折可淹留。

——唐・李峤《桂》

鹫岭郁岧峣，龙宫锁寂寥。楼观沧海日，门对浙江潮。
桂子月中落，天香云外飘。扪萝登塔远，刳木取泉遥。

——唐・宋之问《灵隐寺》

人闲桂花落，夜静春山空。月出惊山鸟，时鸣春涧中。

——唐·王维《鸟鸣涧》

中庭地白树栖鸦，冷露无声湿桂花。
今夜月明人尽望，不知秋思落谁家？

——唐·王建《十五夜望月寄杜郎中》

遥知天上桂花孤，试问嫦娥更要无。
月宫幸有闲田地，何不中央种两株。

——唐·白居易《东城桂》

前台花发后台见，上界钟声下界闻。
遥想吾师行道处，天香桂子落纷纷。

——唐·白居易《寄韬光禅师》

到处聚观香案吏，此邦宜着玉堂仙。
江云漠漠桂花湿，海雨翛翛荔子然。

——宋·苏轼《舟行至清远县见顾秀才，极谈惠州风物之美》

暗淡轻黄体性柔，情疏迹远只香留。
何须浅碧深红色，自是花中第一流。
梅定妒，菊应羞，画栏开处冠中秋。
骚人可煞无情思，何事当年不见收。

——宋·李清照《鹧鸪天·咏桂》

天遣幽花两度开，黄昏梵放此徘徊。
不教居士卧禅榻，唤出西厢共看来。

——宋·陈与义《长沙寺桂花重开》

弹压西风擅众芳，十分秋色为君忙。
一枝淡贮书窗下，人与花心各自香。
——宋·朱淑真《秋夜牵情·咏桂》

亭亭岩下桂，岁晚独芬芳。叶密千层绿，花开万点黄。
——宋·朱熹《岩桂》

独占三秋压众芳，何咏橘绿与橙黄。
自从分下月中秋，果若飘来天际香。
清影不嫌秋露白，新业偏带晚烟苍。
高枝已折郤生手，万斛奇芬贮锦囊。
——宋·吕声之《咏桂花》

月宫清冷桂团团，岁岁花开只自攀。
共在人间说天上，不知天上忆人间。
——明·边贡《嫦娥》

西湖八月足清游，何处香通鼻观幽？
满觉陇旁金粟遍，天风吹堕万山秋。
——清·张云敖《品桂》

【菊花类】

阶兰凝曙霜，岸菊照晨光。露浓晞晚笑，风劲浅残香。细叶凋轻翠，圆花飞碎黄。还持今岁色，复结后年芳。

——唐·李世民《赋得残菊》

玉律三秋暮，金精九日开。荣舒洛媛浦，香泛野人杯。靃靡寒潭侧，丰茸晓岸隈。黄花今日晚，无复白衣来。

——唐·李峤《菊》

寒花开已尽，菊蕊独盈枝。旧摘人频异，轻香酒暂随。

——唐·杜甫《云安九日》

一夜新霜着瓦轻，芭蕉新折败荷倾。耐寒唯有东篱菊，金粟初开晓更清。

——唐·白居易《咏菊》

秋丛绕舍似陶家，遍绕篱边日渐斜。不是花中偏爱菊，此花开尽更无花。

——唐·元稹《菊花》

暗暗淡淡紫，融融冶冶黄。陶令篱边色，罗含宅里香。几时禁重露，实是怯残阳。愿泛金鹦鹉，升君白玉堂。

——唐·李商隐《菊花》

飒飒西风满院栽，蕊寒香冷蝶难来。
他年我若为青帝，报与桃花一处开。

——唐·黄巢《题菊花》

待得秋来九月八，我花开后百花杀。
冲天香阵透长安，满城尽带黄金甲。

——唐·黄巢《不第后赋菊》

粲粲黄金裙，亭亭白玉肤。极知时好异，似与岁寒俱。堕地良不忍，抱技宁自枯。

——唐·吴履垒《菊花》

零落黄金蕊，虽枯不改香。深丛隐孤秀，犹得奉清觞。

——宋·梅尧臣《残菊》

轻肌弱骨散幽葩，更将金蕊泛流霞。
欲知却老延龄药，百草摧时始起花。

——宋·苏轼《赵昌寒菊》

黄花芬芳绝世奇，重阳错把配萸枝。
开迟愈见凌霜操，堪笑儿童道过时。

——宋·陆游《九月十二日折菊》

寂寞东篱湿露华，依前金屋照泥沙。
世情儿女无高韵，只看重阳一日花。

——宋·范成大《重阳后菊花》

回旋秋色溥情露，凌厉西风洁嫩霜。
莫作东篱等闲看，清新曾结广寒香。
——宋·朱淑真《白菊》

花开不并百花丛，独立疏篱趣无穷。
宁可枝头抱香死，何曾吹落北风中。
——宋·郑思肖《画菊》

野菊日烂漫，秋风随分开。
寒香与晚色，消受掌中杯。
——明·唐寅《野菊》

黄花无主为谁容，冷落疏篱曲径中。
尽把金钱买脂粉，一生颜色付西风。
——明·唐寅《菊花图》

九日风高斗笠斜，篱头对酌酒频赊。
御袍采采杨妃醉，半夜扶归挹露华。
——明·唐寅《菊花图》

佳色含霜向日开，余香冉冉覆莓苔。
独怜节操非凡种，曾向陶君径里来。
——明·唐寅《菊花图》

飒飒金飙拂素英，倚栏璠朵入杯明。
秋光满眼无殊品，笑傲东篱羡尔荣。
——明·唐寅《菊花图》

剪碎红云照绿苔，吟秋篱畔白衣来。
来年记得看花处，艳雪亭亭最后开。
——清·恽寿平《红白菊》

插花都道秋花好，瓶菊能支十日妍。
谁道墨仙仙笔底，精神留得一千年。
——清·边寿民《瓶菊》

手执螺卮擘蟹黄，客中何事又重阳。
年年佳节看来惯，醉榻寒花一瓣香。
——清·黄慎《花卉图·菊花》

屋宇无多秋木稠，山家门户画情幽。
扁舟昨向溪边过，记取疏篱几叶秋。
——现代·高剑父《秋菊》

黄叶西风水漫漫，闲来但觉野情幽。
山窗昨夜潇潇雨，冷瘦疏篱菊影秋。
——现代·高剑父《秋菊》

南武城边景物非，秋来无泪洒东篱。
蝉寒咽断苍烟冷，憔悴黄花空自悲。
——现代·高剑父《菊》

人比黄花瘦，西风倚画楼。
——现代·唐云《秋菊蜻蜓》

眼前景物年年换，惟有黄花似故人。
——现代·唐云《秋菊》

正是江南风景好，黄花初放蟹初肥。
——现代·唐云《菊黄蟹肥图》

【小草青苔类】

东临碣石，以观沧海。水何澹澹，山岛竦峙。树木丛生，百草丰茂。秋风萧瑟，洪波涌起。日月之行，若出其中。星汉灿烂，若出其里。幸甚至哉，歌以咏志。

——魏晋·曹操《观沧海》

种豆南山下，草盛豆苗稀。晨兴理荒秽，带月荷锄归。道狭草木长，夕露沾我衣。衣沾不足惜，但使愿无违。

——魏晋·陶渊明《归园田居》

晴川历历汉阳树，芳草萋萋鹦鹉洲。日暮乡关何处是？烟波江上使人愁。

——唐·崔颢《黄鹤楼》

独怜幽草涧边生，上有黄鹂深树鸣。春潮带雨晚来急，野渡无人舟自横。

——唐·韦应物《滁州西涧》

慈母手中线，游子身上衣。临行密密缝，意恐迟迟归。谁言寸草心，报得三春晖。

——唐·孟郊《游子吟》

乱花渐欲迷人眼，浅草才能没马蹄。最爱湖东行不足，绿杨阴里白沙堤。

——唐·白居易《钱塘湖春行》

离离原上草，一岁一枯荣。野火烧不尽，春风吹又生。远芳侵古道，晴翠接荒城。又送王孙去，萋萋满别情。

——唐・白居易《赋得古原草送别》

染亦不可成，画亦不可得。苌弘未死时，应无此颜色。

——唐・吴融《草》

别来春半，触目柔肠断。砌下落梅如雪乱，拂了一身还满。

雁来音信无凭，路遥归梦难成。离恨恰如春草，更行更远还生。

——五代・李煜《清平乐》

石梁茅屋有弯碕，流水溅溅度西陂。晴日暖风生麦气，绿阴幽草胜花时。

——宋・王安石《初夏即事》

花褪残红青杏小。燕子飞时，绿水人家绕。枝上柳绵吹又少，天涯何处无芳草！

——宋・苏东坡《蝶恋花》

茅檐低小，溪上青青草。醉里吴音相媚好，白发谁家翁媪？

大儿锄豆溪东，中儿正织鸡笼。最喜小儿无赖，溪头卧剥莲蓬。

——宋・辛弃疾《清平乐・村居》

白日不到处，青春恰自来。苔花如米小，也学牡丹开。

——清・袁枚《苔》

【其他】

黄四娘家花满蹊，千朵万朵压枝低。
留连戏蝶时时舞，自在娇莺恰恰啼。
——唐·杜甫《江畔独步寻花》

长安百花时，风景宜轻薄。无人不沽酒，何处不闻乐。春风连夜动，微雨凌晓濯。红焰出墙头，雪光映楼角。繁紫韵松竹，远黄绕篱落。临路不胜愁，轻烟去何托。满庭荡魂魄，照庑成丹渥。烂漫簇颠狂，飘零劝行乐。时节易晼晚，清阴覆池阁。唯有安石榴，当轩慰寂寞。
——唐·刘禹锡《百花行》

一丛千朵压阑干，翦碎红绡却作团。
风袅舞腰香不尽，露销妆脸泪新干。
蔷薇带刺攀应懒，菡萏生泥玩亦难。
争及此花檐户下，任人采弄尽人看。
——唐·白居易《题山石榴花》

似火山榴映小山，繁中能薄艳中闲。
一朵佳人玉钗上，只疑烧却翠云鬟。
——唐·杜牧《山石榴》

东郊和气新，芳霭远如尘。客舍停疲马，僧墙画故人。

沃田桑景晚，平野菜花春。更想严家濑，微风荡白苹。

——唐·温庭筠《宿沣曲僧舍·菜花》

手卷真珠上玉钩，依前春恨锁重楼。风里落花谁是主？思悠悠。

青鸟不传云外信，丁香空结雨中愁。回首渌波三峡暮，接天流。

——五代·李璟《浣溪沙·丁香》

春江一望微茫。辨桅樯。无限青青麦里、菜花黄。

今古恨，登临泪，几斜阳。不是寄奴住处、也凄凉。

——宋·郑熏初《乌夜啼·菜花》

梅子金黄杏子肥，麦花雪白菜花稀。

日长篱落无人过，惟有蜻蜓蛱蝶飞。

——宋·范成大《四时田园杂兴·菜花》

大叶偏鸣雨，芳心又展风。爱他新绿好，上我小庭中。

——明·唐寅《美人蕉图》

夜来春雨润垂杨，春水新生不满塘。

日暮平原风过处，菜花香杂豆花香。

——清·王文治《安宁道中即事·菜花》

麦陇轻寒桑火迟，豆畦香满过春期。

花开岂为吴蚕密，错认天公爱蚕丝。

——清·恽寿平《蚕婆豆花》

谁怜瑶草自先春，得得东风立水滨。
湿透湘裙刚十幅，宓妃原是洛川神。
——清·黄慎《花卉图·水仙》

诗人绿竹轩，玉绣庄严像。
东皇赐紫绯，藤王旧图画。
——清·任熏《花卉八屏·之一·绣球花》

百结芳心怨夕晖，玲珑轻着五铢衣。
千枝剪碎琼瑶影，疑是成团粉蝶飞。
——清·任熏《花卉八屏·之二·绣球花》

石上网球花，哪如罗门雀。
蕊珠如火红，压倒邻家药。
——现代·高剑父《绣球花》

豆棚凉露欲三更，篱影疏疏挂月痕。
听到蟪蛄啼断处，纵无鬼唱也消魂。
——现代·高剑父《豆花络纬》

曾上西樵第一峰，杜鹃娇似为山容。
几时移种菩提院，春入禅心着意浓。
——现代·高剑父《紫杜鹃花》

杜鹃枝上杜鹃啼，啼到天明日又西。
口血欲枯心力尽，春残缄口不如归。
——现代·高剑父《杜鹃枝上杜鹃鸟》

小白团红杂紫妍，碧丸黄玉好晴天。
窗前已种花如锦，素壁更悬画里仙。
——现代·谢稚柳《健碧近好为仙人球写生戏作》

凌寒讶许梅兄瘦，矾弟临风碧可怜。
蓬莱弱水三千里，未托微波亦是仙。
——现代·谢稚柳《水仙》

花搏白雪香。
——现代·唐云《绣球花》

一片清秋在何处，豆花篱落雨纷纷。
——现代·唐云《豆花草虫》

树木

【竹类】

高簳楚江濆，婵娟含曙氛。白花摇凤影，青节动龙文。叶扫东南日，枝捎西北云。谁知湘水上，流泪独思君。

——唐·李峤《竹》

独坐幽篁里，弹琴复长啸。深林人不知，明月来相照。

——唐·王维《竹里馆》

野竹攒石生，含烟映江岛。翠色落波深，虚声带寒早。龙吟曾未听，凤曲吹应好。不学蒲柳凋，贞心常自保。

——唐·李白《慈姥竹》

绿竹半含箨，新梢才出墙。色侵书帙晚，阴过酒樽凉。雨洗娟娟净，风吹细细香。但令无剪伐，会见拂云长。

——唐·杜甫《严郑公宅同咏竹》

华轩蔼蔼他年到，绵竹亭亭出县高。江上舍前无此物，幸分苍翠拂波涛。

——唐·杜甫《从韦续处觅绵竹》

笋添南阶竹，日日成清閟。缥节已储霜，黄苞犹掩翠。

出栏抽五七，当户罗三四。高标陵秋严，贞色夺春媚。稀生巧补林，并出疑争地。纵横乍依行，烂漫忽无次。风枝未飘吹，露粉先涵泪。何人可携玩，清景空瞪视。

——唐·韩愈《新竹》

佐邑意不适，闭门秋草生。何以娱野性？种竹百余茎。见此溪上色，忆得山中情。有时公事暇，尽日绕栏行。勿言根未固，勿言阴未成。已觉庭宇内，稍稍有余清。最爱近窗卧，秋风枝有声。

——唐·白居易《新栽竹》

新篁才解箨，寒色已青葱。冉冉偏凝粉，萧萧渐引风。扶疏多透日，寥落未成丛。惟有团团节，坚贞大小同。

——唐·元稹《新竹》

数茎幽玉色，晓夕翠烟分。声破寒窗梦，根穿绿藓纹。渐笼当槛日，欲碍入帘云。不是山阴客，何人爱此君？

——唐·杜牧《题刘秀才新竹》

青岚帚亚思吾祖，绿润高枝忆蔡邕。长听南园风雨夜，恐生鳞甲尽为龙。

——唐·陈陶《长竹》

竹。
临池，似玉。
悒露静，和烟绿。
抱节宁改，贞心自束。
渭曲偏种多，王家看不足。
仙杖正惊龙化，美实当随凤熟。
唯愁吹作别离声，回首驾骖舞阵速。
——唐·韦式《一字至七字诗·竹》

宜烟宜雨又宜风，拂水藏村复间松。
移得萧骚从远寺，洗来疏净见前峰。
侵阶藓拆春芽迸，绕径莎微夏荫浓。
无赖杏花多意绪，数枝穿翠好相容。
——唐·郑谷《竹》

琼节高吹宿凤枝，风流交我立忘归。
最怜瑟瑟斜阳下，花影相和满客衣。
——唐·李建勋《竹》

偶自山僧院，移归傍砌栽。好风终日起，幽鸟有时来。
筛月牵诗兴，笼烟伴酒杯。南窗睡轻起，萧飒雨声回。
——五代·李中《庭竹》

修修梢出类，辞卑不肯丛。有节天容直，无心道与空。
——宋·宋祁《竹》

故园修竹绕东溪，占水浸沙一万枝。

我走官途休未得，此君应是怪归迟。

——宋·文同《咏竹》

竹外桃花三两枝，春江水暖鸭先知。
蒌蒿满地芦芽短，正是河豚欲上时。

——宋·苏轼《惠崇春江晚景》

可使食无肉，不可居无竹。无肉令人瘦，无竹令人俗。人瘦尚可肥，俗士不可医。旁人笑此言，似高还似痴。若对此君仍大嚼，世间哪有扬州鹤。

——宋·苏轼《于潜僧绿筠轩》

大隐在城市，此君真友生。根须辰日斸，笋要上番成。龙化葛陂去，凤吹阿阁鸣。草荒三径断，岁晚见交情。

——宋·黄庭坚《和师厚栽竹》

青士何年下大荒，羽仪禁省立如墙。
锦绷半脱娟娟玉，粉节新涂拂拂霜。
带雨小酣三日后，出林忽喜一梢长。
今年秋闰防多暑，剩供先生格外凉。

——宋·杨万里《和周元吉省中新竹》

春雷殷岩际，幽草齐发生。我种南窗竹，戢戢已抽萌。坐获幽林赏，端居无俗情。

——宋·朱熹《新竹》

萧萧美人脱凡俗，蕉姓称罗各碧玉。

月昏潇湘烟水深，为君一弄江南曲。

——明·唐寅《竹图》

修竹当窗白日达，山僧出定客来时。
欲从节下题诗句，妙在无言不在诗。

——明·唐寅《竹图》

箪瓢不厌久沉沦，投着虚怀好主人。
榻上氍毹黄叶满，清风日日坐阳春。
此君少与契忘形，何独相延厌客星。
苔满西阶人迹断，百年相对眼青青。

——明·唐寅《对竹图》

解笔淋漓写竹枝，分明风雨满天时。
此中意恐无人会，更向其间赋小诗。

——明·唐寅《雨竹图》

岁寒有贞姿，孤竹劲而直。虚心足以容，坚节不挠物。可比君子人，穷年交不易。晔晔桃李花，旦暮改颜色。

——明·唐寅《孤竹图》

一节复一节，千枝攒万叶。我自不开花，免撩蜂与蝶。

——清·郑板桥《竹》

一片绿阴如洗，护竹何劳荆杞？仍将竹作笆篱，求人不如求己。

——清·郑板桥《篱竹》

咬定青山不放松，立根原在破岩中。
千磨万击还坚劲，任尔东西南北风。

——清·郑板桥《题竹石图》

一竹一兰一石，有节有香有骨，
满堂皆君子之风，万古对青苍翠色。

——清·郑板桥《题竹兰石图》

有兰有竹有石，有节有香有骨，
任他逆风严霜，自有春风消息。

——清·郑板桥《题竹兰石图》

生挺凌云节，飘摇仍自持。朔风常凛冽，秋气不离披。
乱叶犹能劲，柔枝不受吹。只烦文与可，写照特淋漓。

——清·康有为《题吾友梁铁君侠者画竹》

虚其心，直其节。金作枝，铁作骨。

——现代·吴湖帆《竹》

看遍长安陌上花，题诗偏忆旧生涯。
门前一曲南湖水，多种琅玕护钓槎。

——现代·吴湖帆《竹石图》

一曲凤凰箫，雨敛声偏净，回首云移月上时，悄舞瑶台影。
清籁隔重帘，断梦梦还省，几度相思若有无，不觉春风冷。

——现代·吴湖帆《风娇雨秀图》

调啸风前翠几行，兔园老去旧梁王。
春兰秋菊都荒尽，惟合人前着苦篁。

——现代·谢稚柳《画竹》

绿萼苔枝已绝尘，老梢还惹碧云春。
看来都是旧时色，惟有年华共鬓新。
——现代・谢稚柳《梅竹》

梅花压雪枝头瘦，翠葆凌云彻骨寒。
璀璨回星下南溟，不期来会岁寒盟。
——现代・谢稚柳《画梅竹石》

一春风雨挽深寒，笼雾拖烟压万竿。
拟倩潇湘照清影，为君无尽写晴澜。
——现代・谢稚柳《写竹二首・之一》

卸箨抽枝堕粉残，凌云见此碧琅玕。
莫教又入江湖手，枉遣风梢作钓竿。
——现代・谢稚柳《写竹二首・之二》

【松柏类】

子曰：「岁寒，然后知松柏之后凋也。」
——春秋战国・孔子弟子编撰《论语・子罕》

青松在东园，众草没其姿。凝霜殄异类，卓然见高枝。连林人不觉，独树众乃奇。提壶抚寒柯，远望时复为。吾生梦幻间，何事绁尘羁。
——魏晋・陶渊明《饮酒・青松》

遥望山上松，隆冬不能凋。愿想游下憩，瞻彼万仞条。腾跃未能升，顿足俟王乔。
——魏晋・谢道韫《拟嵇中散咏松诗》

修条拂层汉，密叶障天浔。凌风知劲节，负雪见贞心。

——南北朝·范云《咏寒松诗》

郁郁高岩表，森森幽涧陲。鹤栖君子树，风拂大夫枝。百尺条阴合，千年盖影披。岁寒终不改，劲节幸君知。

——唐·李峤《松》

松柏本孤直，难为桃李颜。昭昭严子陵，垂钓沧波间。身将客星隐，心与浮云闲。长揖万乘君，还归富春山。

——唐·李白《古风》

南轩有孤松，柯叶自绵幂。清风无闲时，潇洒终日夕。阴生古苔绿，色染秋烟碧。何当凌云霄，直上数千尺。

——唐·李白《南轩松》

盘石青岩下，松生盘石中。冬春无异色，朝暮有清风。五鬣何人采，西山旧两童。

——唐·储光羲《杂咏·石子松》

白金换得青松树，君既先栽我不栽。幸有西风易凭仗，夜深偷送好声来。

——唐·白居易《松树》

皇天后土力，使我向此生。贵贱不我均，若为天地情。

我家世道德，旨意匡文明。家集四百卷，独立天地经。

寄言青松姿，岂羡朱槿荣。昭昭大化光，共此遗芳馨。

——唐·皇甫松《古松感兴》

自小刺头深草里，而今渐觉出蓬蒿。

时人不识凌云木，直待凌云始道高。

——唐·杜荀鹤《小松》

大夫名价古今闻，盘屈孤贞更出群。

将谓岭头闲得了，夕阳犹挂数枝云。

——五代·成彦雄《松》

影摇千尺龙蛇动，声撼半天风雨寒。

——宋·石延年《古松》

古人长抱济人心，道上栽松直到今。

今日若能增种植，会看百世长青阴。

——宋·吴芾《咏松》

促席坐鸣琴，写我平生心。平生固如此，松竹谐素音。

——明·唐寅《松竹图》

君不见，岁之寒，何处求芳草。又不见，松之乔，青青复矫矫。天地本无心，万物贵其真。直干壮川岳，秀色无等伦。饱历冰与霜，千年方未已。拥护天阙高且坚，迴干春风碧云里。

——清·李方膺《题苍松怪石图》

苍虬岂入定，藏气养神力。风雨不曾来，倒影挂绝壁。

——现代·高剑父《挂壁松》

落日下长松，余晖入苍翠。醉眼未分明，疑是虬龙醉。

——现代·高剑父《夕照松》

结巢云松颠，天风拂五弦。山东李白好，放笔夺诗篇。

我不能摧颓卧听老龙吟，又不能调征弄商一曲琴。

君不见北海奔腾南溟翻，苍涛碧浪千叠山。

——现代·谢稚柳《落墨松歌》

【杨柳类】

昔我往矣，杨柳依依。今我来思，雨雪霏霏。

行道迟迟，载渴载饥。我心伤悲，莫知我哀！

——先秦·无名氏《诗经·小雅·采薇》

杨柳郁氤氲，金堤总翠氛。庭前花类雪，楼际叶如云。

列宿分龙影，芳池写凤文。短箫何以奏，攀折为思君。

——唐·李峤《柳》

碧玉妆成一树高，万条垂下绿丝绦。

不知细叶谁裁出，二月春风似剪刀。

——唐·贺知章《咏柳》

隔户杨柳弱袅袅，恰似十五女儿腰。
谓谁朝来不作意，狂风挽断最长条。

——唐·杜甫《漫兴》

一树春风千万枝，嫩于金色软于丝。
永丰西角荒园里，尽日无人属阿谁？

——唐·白居易《杨柳枝词》

章台从掩映，郢路更参差。见说风流极，来当婀娜时。
桥回行欲断，堤远意相随。忍放花如雪，青楼扑酒旗。

——唐·李商隐《赠柳》

曾逐东风拂舞筵，乐游春苑断肠天。
如何肯到清秋日，已带斜阳又带蝉。

——唐·李商隐《柳》

含烟惹雾每依依，万绪千条拂落晖。
为报行人休尽折，半留相送半迎归。

——唐·李商隐《离亭赋得折杨柳》

袅袅古堤边，青青一树烟。若为丝不断，留取系郎船。

——唐·雍裕之《江边柳》

绊惹春风别有情，世间谁敢斗轻盈？
楚王江畔无端种，饿损纤腰学不成。

——唐·唐彦谦《垂柳》

花褪残红青杏小，燕子飞时，绿水人家绕。
枝上柳绵吹又少，天涯何处无芳草？

——宋·苏轼《蝶恋花》

柳阴直，烟里丝弄碧。隋堤上，曾见几番，拂水飘绵送行色。登临望故国，谁识京华倦客。长亭路，年去岁来，应折柔条过千尺。
闲寻旧踪迹，又酒趁哀弦，灯高离席。梨花榆火催寒食。愁一箭风快，半篙波暖，回头迢递便数驿，望人在天北。
凄恻，恨堆积！惭别浦萦回，津堠岑寂，斜阳冉冉春无极。念月榭携手，露桥闻笛。沉思前事，似梦里，泪暗滴。

——宋·周邦彦《兰陵王·咏柳》

古木阴中系短篷，杖藜扶我过桥东。
沾衣欲湿杏花雨，吹面不寒杨柳风。

——宋·释志南《绝句》

【梧桐类】

凤凰鸣矣，于彼高冈。梧桐生矣，于彼朝阳。菶菶萋萋，雍雍喈喈。

——先秦·无名氏《诗经·大雅·卷阿》

孤秀峄阳岑，亭亭出众林。春光杂凤影，秋月弄圭阴。高映龙门迥，双依玉井深。不因将入爨，谁谓作鸣琴。

——唐·李峤《桐》

金井梧桐秋叶黄，珠帘不卷夜来霜。熏笼玉枕无颜色，卧听南宫清漏长。

——唐·王昌龄《长信秋词》

江城如画里，山晓望晴空。雨水夹明镜，双桥落彩虹。人烟寒橘柚，秋色老梧桐。谁念北楼上，临风怀谢公。

——唐·李白《秋登宣城谢朓北楼》

玉炉香，红蜡泪，偏照画堂秋思。翠眉薄，鬓云残，夜长衾枕寒。梧桐树，三更雨，不道离情正苦。一叶叶，一声声，空阶滴到明。

——唐·温庭筠《更漏子》

无言独上西楼，月如钩，寂寞梧桐深院锁清秋。剪不断，理还乱，是离愁，别是一般滋味在心头。

——五代·李煜《相见欢》

苍苍梧桐，悠悠古风。叶若碧云，伟仪出众。根在清源，天开紫英。星宿其上，美禽来鸣。世有嘉木，心自通灵。可以为琴，春秋和声。卧听夜雨，起看雪晴。独立正直，巍巍德荣。

——宋·晏殊《梧桐》

绮席凝尘，香闺掩雾。红笺小字凭谁附？高楼目尽欲黄昏，梧桐叶上萧萧雨。

——宋·晏殊《踏莎行》

满地黄花堆积。憔悴损，如今有谁堪摘？守着窗儿，独自怎生得黑。梧桐更兼细雨，到黄昏，点点滴滴。这次第，怎一个愁字了得？

——宋·李清照《声声慢》

候蛩凄断，人语西风岸。月落沙平江似练，望尽芦花无雁。

暗教愁损兰成，可怜夜夜关情。只有一枝梧叶，不知多少秋声！

——宋·张炎《清平乐》

一声梧叶一声秋，一点芭蕉一点愁，三更归梦三更后。

——元·徐再思《双调水仙子·夜雨》

【芭蕉类】

窗前谁种芭蕉树？阴满中庭，阴满中庭。叶叶心心、舒卷有余情。伤心枕上三更雨，点滴霖霪，点滴霖霪。愁损北人、不惯起来听！

——宋·李清照《添字采桑子》

蓬蒿门巷绝经过，清夜何人与晤歌？
蟋蟀独知秋令早，芭蕉正得雨声多。

——宋·陆游《秋兴》

梅子留酸软齿牙，芭蕉分绿与窗纱。
日长睡起无情思，闲看儿童捉柳花。

——宋·杨万里《闲居初夏午睡起》

何处合成愁？离人心上秋。纵芭蕉、不雨也飕飕。都道晚凉天气好，有明月、怕登楼。

——宋·吴文英《唐多令》

一声梧叶一声秋，一点芭蕉一点愁，三更归梦三更后。

——元·徐再思《双调水仙子·夜雨》

【其他】

吐叶依松磴，舒苗长石台。神农尝药罢，质子寄书来。色映蒲萄架，花分竹叶杯。金堤不见识，玉润几重开。

——唐·李峤《藤》

暮律移寒火，春宫长旧栽。叶生驰道侧，花落凤庭隈。烈士怀忠触，鸿儒访业来。何当赤墀下，疏干拟三台。

——唐·李峤《槐》

紫藤挂云木，花蔓宜阳春。密叶隐歌鸟，香风留美人。

——唐·李白《紫藤树》

远上寒山石径斜，白云生处有人家。
停车坐爱枫林晚，霜叶红于二月花。

——唐·杜牧《山行》

乌臼平生老染工，错将铁皂作猩红。
小枫一夜偷天酒，却倩孤松掩醉容。

——宋·杨万里《秋山》

蟠桃一实三千年，银杏着子三十载。
老僧只作旦暮看，汝莫匆匆宜少待。
阶前始芽今出屋，便是携篮走僮仆。
伴我东园看菜归，与汝煎茶剥柔玉。

——宋·释慧空《某得银杏不食种之庵前见者曰是三十年乃生公》

蒙茸一架自成林，窈窕繁葩灼暮阴。
南国红蕉将比貌，西陵松柏结同心。
裁霞缀绮光相乱，剪雨萦烟态转深。
紫雪半庭长不扫，闲抛簪组对清吟。
——明·王世贞《紫藤花》

桑出罗兮柘出绫，绫罗妆束出娉婷。
娉婷红粉歌金缕，歌与桃花柳絮听。
——明·唐寅《桑图》

瓜果蔬菜

【枇杷类】

杨梅空有树团团，却是枇杷解满盘。
难学权门堆火齐，且从公子拾金丸。
枝头不怕风摇落，地上惟忧鸟啄残。
清晓呼僮乘露摘，任教半熟杂甘酸。
——宋·陆游《枇杷一株独结实可爱戏作》

大叶耸长耳，一梢堪满盘。荔枝多与核，金橘却无酸。
雨压低枝重，浆流沁齿寒。长卿今在否，莫遣作园官。
——宋·杨万里《枇杷》

数颗黄金弹，枝头骇鸟飞。
——明·沈周《花果图册》

谁铸黄金散百丸，弹胎微湿露溥溥。
从今抵鹊何消玉，更有饮浆沁齿寒。
——明·沈周《花卉册》

五月天气换葛衣，山中卢橘黄且肥。
鸟疑金弹不敢啄，忍饥空向林间飞。
——近代·吴昌硕《枇杷》

【樱桃类】

懿夫樱桃之为树，先百果而含荣。既离离而春就，乍苒苒而冬迎。

异群龙之无首，垂牢器之晚成。鸟才食而便堕，雨薄洒而皆零。

未观红颜之实，空有荐庙之名。等橘柚于檐户，匹诸荐乎中庭。

异梧桐之栖凤，愧绿竹之恒贞。岂复论其美恶，且耸干乎前椂。

叶繁抽而掩日，枝长弱而风生。且得蔽乎羲赫，实当暑之凄清。

——南北朝·萧詧《樱桃赋》

芙蓉阙下会百官，紫禁朱樱出上兰。
总是寝园春荐后，非关御苑鸟衔残。
归鞍竟带青丝笼，中使频倾赤玉盘。
饱食不须愁内热，大官还有蔗浆寒。

——唐·王维《咏樱桃》

含桃最说出东吴，香色鲜浓气味殊。
洽恰举头千万颗，婆娑拂面两三株。
鸟偷飞处衔将火，人摘争时蹋破珠。
可惜风吹兼雨打，明朝后日即应无。

——唐·白居易《吴樱桃》

石榴未拆梅犹小，爱此山花四五株。
斜日庭前风袅袅，碧油千片漏红珠。

——唐·张祜《樱桃》

婀娜枝香拂酒壶，向阳疑是不融酥。
晚来嵬峨浑如醉，惟有春风独自扶。
——唐·皮日休《樱桃花》

粉红轻浅靓妆新，和露和烟别近邻。
万一有情应有恨，一年荣落两家春。
——唐·吴融《买带花樱桃》

四月江南黄鸟肥，樱桃满市粲朝晖。
赤瑛盘里虽殊遇，何似筠笼相发挥。
——宋·陈与义《樱桃》

为花结实自殊常，摘下盘中颗颗香。
味重不容轻众口，独于寝庙荐先尝。
——宋·朱淑真《樱桃》

百果相嘲事有无，嘉名曾借丽人呼。
赋成不惜黄金买，笔底能倾照乘珠。
——清·恽寿平《樱桃》

夺得佳人口上脂，画出樱桃始入时。
——现代·齐白石《樱桃》

【石榴类】

涂林未应发，春暮转相催。然灯疑夜火，连珠胜早梅。西域移根至，南方酿酒来。叶翠如新剪，花红似故裁。还忆河阳县，映水珊瑚开。

——南北朝·萧绎《赋得石榴诗》

鲁女东窗下，海榴世所稀。珊瑚映绿水，未足比光辉。清香随风发，落日好鸟归。愿为东南枝，低举拂罗衣。无由共攀折，引领望金扉。

——唐·李白《咏邻女东窗海石榴》

五月榴花照眼明，枝间时见子初成。可怜此地无车马，颠倒苍苔落绛英。

——唐·韩愈《题榴花》

一朵花开千叶红，开时又不藉春风。若教移在香闺畔，定与佳人艳态同。

——唐·子兰《千叶石榴花》

蝉噪秋枝槐叶黄，石榴香老愁寒霜。流霞色染紫罂粟，黄蜡纸裹红瓠房。玉刻冰壶含露湿，斓斑似带湘娥泣。肖娘初嫁嗜甘酸，嚼破水晶千万粒。

——唐·皮日休《石榴歌》

别院深深夏席清，石榴开遍透帘明。树荫满地日当午，梦觉流莺时一声。

——宋・苏舜钦《夏意》

深着红蓝染暑裳，琢成纹玳敌秋霜。
半含笑里清冰齿，忽绽吟边古锦囊。
雾縠作房珠作骨，水精为醴玉为浆。
刘郎不为文园渴，何苦星槎远取将。

——宋・杨万里《石榴》

垂杨影里残红，甚匆匆。只有榴花、全不怨东风。
暮雨急，晓鸦湿，绿玲珑。比似茜裙初染、一般同。

——明・刘铉《乌夜啼》

榴枝婀娜榴实繁，榴膜轻明榴子鲜。
可羡瑶池碧桃树，碧桃红颊一千年。

——明・王义山《石榴》

累累枝上实，满腹饱珠玑。

——明・沈周《花果图册》

腊带团赪玉，文英簇绛绡。秋来结佳果，珍味不须调。

——明・陈淳《墨花图册》

江南五月绿枝匀，剪剪轻罗簇绛新。
珍重东君怜寂寞，故将秾艳缀余春。

——明・陆师道《花卉图册》

向日承阳燧，然空烂绛霞。流丹染繁绿，故自压春华。

——明·陆治《花品图册》

榴房拆锦囊，珊瑚何齿齿。试展画图看，凭将颂多子。

——明·王谷祥《分香图》

见他开口处，笑落尽珠玑。

——清·黄慎《萝卜石榴图》

【葡萄类】

新茎未遍半犹枯，高架支离倒复扶。若欲满盘堆马乳，莫辞添竹引龙须。

——唐·韩愈《葡萄》

野田生葡萄，缠绕一枝高。移来碧墀下，张王日日高。分岐浩繁缛，修蔓蟠诘曲。扬翘向庭柯，意思如有属。为之立长檠，布濩当轩绿。米液溉其根，理疏看渗漉。繁葩组绶结，悬实珠玑蹙。马乳带轻霜，龙鳞曜初旭。有客汾阴至，临堂瞪双目。自言我晋人，种此如种玉。
酿之成美酒，令人饮不足。为君持一斗，往取凉州牧。
——唐·刘禹锡《葡萄歌》

江汉西来，高楼下、葡萄深碧。犹自带、岷峨云浪，锦江春色。
君是南山遗爱守，我为剑外思归客。对此间、风物岂无情，殷勤说。
——宋·苏轼《满江红》

高棚一夜雨，鬼泪泣秋风。
——明·沈周《花果图》

绿云架上草龙蟠，马乳含秋露不干。
昨日文园愁肺渴，几丸嚼破蔗浆寒。
——明·唐寅《墨葡萄图》

半生落魄已成翁，独立书斋啸晚风。
笔底明珠无处卖，闲抛闲掷野藤中。
——明·徐渭《墨葡萄图》

毫端紫翠影重重，马乳瑶浆未易逢。
泻出明珠收不得，醒来惊杀老骊龙。
——清·恽寿平《葡萄图》

百斛明珠富，清阴翠幕张。晓悬愁欲坠，露摘爱先尝。
色映金盘果，香流玉碗浆。不劳葱岭使，常得进君王。

——清·吴伟业《葡萄》

一串明珠夜有光。

——现代·唐云《大石小笔册》

【荔枝类】

传闻象郡隔南荒，绛实丰肌不可忘。
近有青衣连楚水，素浆还得类琼浆。

——唐·薛涛《忆荔枝》

长安回望绣成堆，山顶千门次第开。
一骑红尘妃子笑，无人知是荔枝来。

——唐·杜牧《过华清宫》

罗浮山下四时春，卢橘杨梅次第新。
日啖荔枝三百颗，不辞长作岭南人。

——宋·苏轼《惠州一绝》

十里矶围筑稻田，田边博种荔枝先。

凤卵龙丸多似谷，村村箫鼓庆丰年。
——清·谭莹《岭南荔枝词》

长生谱就奏冰弦，七日飞驰亦可怜。
品到水晶淘第一，如何妃子不延年。
——清·邵梅臣《画耕偶録·题潘周凫先生画册页》

琼浆原道出仙家，点点枝头映日斜。
绛雪一斛无六月，安期漫说枣如瓜。
——现代·冯超然《枇杷荔枝图》

芳树层层缀嫩芽，碧丛翠朵尽丹砂。
驱驰驿路难销夏，试荐瑚盘艳落霞。
——现代·冯超然《枇杷荔枝图》

果夺红云艳。
——现代·唐云《绣球荔枝》

好是江南初夏候，名花珍果荐时新。
——现代·唐云《名花珍果》

【葫芦类】

笑杀桑根甘瓠苗，乱他桑叶上他条。
向人更逞庾藏巧，怪道桑梢拄一瓢。

——宋·杨万里《甘瓠》

嘉瓠吾所爱，孤高更可人。不虚种植意，终系发生神。
有叶诚藏用，无容岂识真。明年应见汝，众子亦轮囷。

——元·范梈《种瓠》

轮囷卧霜露，秋晓摘初归。自笑诗人骨，何由似尔肥。

——明·高启《摘瓠》

嘴尖肚大耳偏高，才免饥寒便自豪。
量小不堪容大物，两三寸水起波涛。

——清·郑板桥《题葫芦诗》

蓏有理，只依样。

——近代·赵之谦《葫芦图》

葫芦葫芦，尔安所识。剖为大瓢，醉我斗室。

——近代·吴昌硕《花果册》

实垂垂，悬清秋。千金值，在中流。

——近代·吴昌硕《葫芦图》

点灯照壁再三看，岁岁无奇汗满颜。
几欲变更终缩手，舍真作怪此生难。

——现代·齐白石《题葫芦画》

【瓜类】

欲识东陵味，青门五色瓜。龙蹄远珠履，女臂动金花。

六子方呈瑞，三仙实可嘉。终朝奉絺绤，谒帝伫非赊。

——唐·李峤《瓜》

种瓜黄台下，瓜熟子离离。一摘使瓜好，再摘令瓜稀。三摘犹良可，四摘抱蔓归。

——唐·李贤《黄台瓜词》

剪剪黄花秋后春，霜皮露叶护长身。

生来笼统君休笑，腹内能容数百人。

——宋·郑清之《冬瓜》

拔出金佩刀，斫破苍玉瓶。千点红樱桃，一团黄水晶。下咽顿除烟火气，入齿便作冰雪声。长安清富说邵平，争如汉朝作公卿。

——宋·文天祥《西瓜吟》

同摘谁能待，离离早满车。弱藤牵碧蒂，曲项恋黄花。

客醉尝应爽，儿凉枕易斜。齐民编月令，瓜路重王家。

——清·吴伟业《咏王瓜》

剖开天上三秋月，飞作人间六月霜。

——清·黄慎《西瓜瓣图》

只因野性甘藜藿，最爱山蔬带水云。

——清·黄慎《南瓜图》

种瓜五月已嫌迟，六月南方不雨时。
且喜垂垂见瓜日，秋风又向小园吹。

——现代·齐白石《南瓜图》

【灵芝菌菇类】

因露寝兮产灵芝，象三德兮瑞应图。
延寿命兮光此都，配上帝兮象太微，
参日月兮扬光辉。

——汉·班固《论功歌诗》

灵芝生王地，朱草被洛滨。荣华相晃耀，光采晔若神。
古时有虞舜，父母顽且嚚。尽孝于田垄，烝烝不违仁。
伯瑜年七十，彩衣以娱亲。慈母笞不痛，歔欷涕沾巾。
丁兰少失母，自伤早孤茕。刻木当严亲，朝夕致三牲。

暴子见陵悔，犯罪以亡形。丈人为泣血，免戾全其名。董永遭家贫，父老财无遗。举假以供养，佣作致甘肥。责家填门至，不知何用归。天灵感至德，神女为秉机。岁月不安居，呜呼我皇考。生我既已晚，弃我何其早。蓼莪谁所兴，念之令人老。退咏南风诗，洒泪满袆抱。乱曰：圣皇君四海，德教朝夕宣。万国咸礼让，百姓家肃虔。庠序不失仪，孝悌处中田。户有曾闵子，比屋皆仁贤。髫齓无夭齿，黄发尽其年。陛下三万岁，慈母亦复然。

——魏晋·曹植《灵芝篇》

松刺梳空石差齿，烟香风软人参蕊。
阳崖一梦伴云根，仙菌灵芝梦魂里。

——唐·贾岛《莲峰歌》

有道吾不仕，有生吾不欺。澹然灵府中，独见太古时。地脉发醴泉，岩根生灵芝。天文若通会，星影应离离。

——唐·鲍溶《题吴征君岩居》

坐玉石，敧玉枕，拂金徽。谪仙何处？无人伴我白螺杯。我为灵芝仙草，不为朱唇丹脸，长啸亦何为？醉舞下山去，明月逐人归。

——宋·黄庭坚《水调歌头》

剑山峨峨插穹苍，千林万谷蟠其阳。
大丹九转古所藏，灵芝三秀夜吐光。
如火非火森有芒，朝阳欲升尚煌煌。
何由斸取换肝肠，往驾素虬朝紫皇。

——宋·陆游《丹芝行》

逗引蛟龙归虎兕。水里灯光明久视。
结灵芝。结灵芝。携去蓬瀛，专专献我师。

——元·马钰《梅花引·赠白先生》

【禾粟小菜类】

短短青菘菜，春风化作雨。不须夸鼎脔，清味在吾家。

——元·吴镇《墨菜图》

菜叶栏干长，花开黄金细。直须咬到根，方识淡中味。

——元·吴镇《梅老菜图》

肉食固多鄙，菜根元自癯。晓畦含露气，夜鼎煮云腴。
春醪时一进，林笋与之俱。游戏入三昧，披图聊我娱。

——元·倪云林《题梅花道人墨菜图》

东园昨夜雨，肥胜大官羊。党氏销金帐，不知滋味长。

——明·沈周《菜图》

剪蔬曾与故人邀，翠甲肥甘带露烧。
我已久忘粱肉味，不须三月待闻韶。

——清·恽寿平《菜》

灌罢烟蔬抱瓮回，离披翠叶长青苔。
仙家上叶原如此，琅菜何须碧海来。

——清·恽寿平《画菜》

灌园我在城南畹，他日留君花下饭。
晓露新抽翠甲肥，春锄更斸黄芽嫩。
何烦和鼎问三脔？盐豉和羹灿似泥。
最爱山家风趣好，不将肉味胜金齑。

——清·恽寿平《墨菜》

江南大好飘儿菜，三个铜钱足饱餐。
却笑清湘寒彻骨，闲来还向画中看。

——现代·高剑父《秋蔬》

处士梅花微士菊，千秋人物卓高风。
一年荒熟关民食，劳者何如种菜翁。

——现代·郑午昌《题白菜·之一》

高人妄说餐梅花，下饭何如老圃家。
一味清腴轻肉食，风流毕竟是东家。

——现代·郑午昌《题白菜·之二》

【其他】

万里盘根植，千秋布叶繁。既荣潘子赋，方重陆生言。玉花含霜动，金衣逐吹翻。愿辞湘水曲，长茂上林园。

——唐·李峤《橘》

此州乃竹乡，春笋满山谷。山夫折盈抱，抱来早市鬻。物以多为贱，双钱易一束。置之炊甑中，与饭同时熟。紫箨折故锦，素肌掰新玉。每日逐加餐，经时不思肉。久为京洛客，此味常不足。且食勿踟躇，南风吹作竹。

——唐·白居易《食笋》

嫩箨香苞初出林，于陵论价重如金。皇都陆海应无数，忍剪凌云一寸心。

——唐·李商隐《初食笋呈座中》

淘漉沟源筑野塘，满坡烟草卧牛羊。今年且喜输官办，豆荚繁多粟穗长。

——宋·文同《秋日田家·豆荚》

竹笋才生黄犊角，蕨芽初长小儿拳。试寻野菜炊香饭，便是江南二月天。

——宋·黄庭坚《咏竹笋》

日落江城闻捣衣，长空杳杳雁南飞。
桑枝空后醅初熟，豆荚成时兔正肥。
徂岁背人常冉冉，老怀感物倍依依。
平生许国今何有，且拟梁鸿赋五噫。
——宋·陆游《秋思·豆荚》

三千年后实成时，玛瑙高悬碧玉枝。
王母素无容物量，却疑方朔是偷儿。
——明·沈周《花卉册·桃》

杜甫寓蜀，采栗自给。山家御穷，莫此为愈。
——明·文震亨《长物志·栗》

洒遍杨枝手自叉，一林金色艳霜葩。
空空书罢应成果，春到人间又散花。
——清·邵梅臣《画耕偶録·为绮园画佛手题》

江南鲜笋趁鲥鱼，烂煮春风三月初。
分付厨人休斫尽，清光留此照摊书。
——清·郑板桥《笋竹》

笋菜沿江二月新，家家厨房剥春筠。
此身愿辟千丝篾，织就湘帘护美人。
——清·郑板桥《笋竹》

还忆山堂夜卧迟，寒灯呼友坐吟诗。
地炉松火同煨芋，自起推窗看雪时。
——清·恽寿平《画芋》

紫华艳艳，朱实离离。含毫静对，可以忘饥。

——清·恽寿平《枸杞》

门掩缙云西，抛书煨野芋。屋头柿蒂落，黯淡江天暮。

——现代·高剑父《柿》

飞鸟家禽

【凤凰孔雀类】

凤凰于飞，翙翙其羽，亦集爰止。
蔼蔼王多吉士，维君子使，媚于天子。
凤凰于飞，翙翙其羽，亦傅于天。
蔼蔼王多吉人，维君子命，媚于庶人。
凤凰鸣矣，于彼高冈。梧桐生矣，于彼朝阳。
菶菶萋萋，雍雍喈喈。

——先秦·无名氏《诗经·大雅·卷阿》

又东五百里，曰丹穴之山，其上多金玉。丹水出焉，而南流注于渤海。有鸟焉，其状如鸡，五采而文，名曰凤凰，首文曰德，翼文曰义，背文曰礼，膺文曰仁，腹文曰信。是鸟也，饮食自然，自歌自舞，见则天下安宁。

——先秦·无名氏《山海经·南山经》

邅吾道夫昆仑兮，路修远以周流。扬云霓之晻蔼兮，鸣玉鸾之啾啾。朝发轫于天津兮，夕余至乎西极。凤凰翼其承旂兮，高翱翔之翼翼。

——春秋战国·屈原《离骚》

凤兮凤兮归故乡，遨游四海求其凰。
时未遇兮无所将，何悟今兮升斯堂！
有艳淑女在闺房，室迩人遐毒我肠。
何缘交颈为鸳鸯，胡颉颃兮共翱翔！
凰兮凰兮从我栖，得托孳尾永为妃。
交情通意心和谐，中夜相从知者谁？
双翼俱起翻高飞，无感我思使余悲。

——汉·司马相如《凤求凰》

孔雀东南飞，五里一徘徊。

——汉·无名氏《孔雀东南飞》

河边杨柳百丈枝，别有长条踠地垂。
河水冲激根株危，倏忽河中风浪吹。
可怜巢里凤凰儿，无故当年生别离。
流槎一去上天池，织女支机当见随。

——南北朝·庾信《杨柳歌》

有鸟居丹穴，其名曰凤凰。九苞应灵瑞，五色成文章。
屡向秦楼侧，频过洛水阳。鸣岐今日见，阿合伫来翔。

——唐·李峤《凤》

明鉴掩尘埃，含情照魏台。日中乌鹊至，花里凤凰来。
玉彩疑冰彻，金辉似月开。方知乐彦辅，自有鉴人才。

——唐·李峤《鉴》

孔雀东飞何处栖，庐江小吏仲卿妻。
为客裁缝君自见，城乌独宿夜空啼。

——唐·李白《庐江主人妇》

凤凰台上凤凰游，凤去台空江自流。
吴宫花草埋幽径，晋代衣冠成古丘。

——唐·李白《登金陵凤凰台》

尝闻秦帝女，传得凤凰声。是日逢仙子，当时别有情。
人吹彩箫去，天借绿云迎。曲在身不返，空余弄玉名。

——唐·李白《凤台曲》

昵昵儿女语，恩怨相尔汝。划然变轩昂，勇士赴敌场。浮云柳絮无根蒂，天地阔远随飞扬。喧啾百鸟群，忽见孤凤凰。

——唐·韩愈《听颖师弹琴》

谁谓我有耳，不闻凤凰鸣。朅来岐山下，日暮边鸿惊。
丹穴五色羽，其名为凤凰。昔周有盛德，此鸟鸣高冈。
和声随祥风，窅窕相飘扬。闻者亦何事，但知时俗康。
自从公旦死，千载閟其光。吾君亦勤理，迟尔一来翔。

——唐·韩愈《岐山下》

穆穆鸾凤友，何年来止兹。飘零失故态，隔绝抱长思。
翠角高独耸，金华焕相差。坐蒙恩顾重，毕命守阶墀。

——唐·韩愈《奉和武相公镇蜀时咏使宅韦太尉所养孔雀》

菱花霍霍绕帷光，美人对镜着衣裳。
庭中并种相思树，夜夜还栖双凤凰。

——唐·王建《春词》

可怜孔雀初得时，美人为尔别开池。
池边凤凰作伴侣，羌声鹦鹉无言语。
雕笼玉架嫌不栖，夜夜思归向南舞。
如今憔悴人见恶，万里更求新孔雀。
热眠雨水饥拾虫，翠尾盘泥金彩落。
多时人养不解飞，海山风黑何处归。

——唐·王建《伤韦令孔雀词》

孔雀眠高阁，樱桃拂短檐。画明金冉冉，筝语玉纤纤。
细雨无妨烛，轻寒不隔帘。欲将红锦段，因梦寄江淹。

——唐·温庭筠《偶题》

曲巷斜临一水间，小门终日不开关。
红珠斗帐樱桃熟，金尾屏风孔雀闲。

——唐·温庭筠《偶游》

帘幕风微日正长，庭前一片芰荷香。
人传郎在梧桐树，妾愿将身化凤凰。

——清·陈淑兰《夏日书帐》

丹羽图成势欲飞，梧桐百尺已多围。
露生碧汉流文彩，日出沧溟览德辉。
盛代鸣时原是瑞，高冈立处自成威。
曾当饱食琅玕竹，便好营巢向柴扉。

——清·李鱓《彩凤图》

【鹤类】

嗟皓丽之素鸟兮，含奇气之淑祥。薄幽林以屏处兮，荫重景之余光。狭单巢于弱条兮，惧冲风之难当。无沙棠之逸志兮，欣六翮之不伤。承邂逅之侥幸兮，得接翼于鸾凰。同毛衣之气类兮，信休息之同行。痛美会之中绝兮，遘严灾而逢殃。共太息而祗惧兮，抑吞声而不扬。伤本规之违忤，怅离群而独处。恒窜伏以穷栖，独哀鸣而戢羽。冀大纲之难结，得奋翅而远游。聆雅琴之清韵，记六翮之末流。

——魏晋·曹植《白鹤赋》

八风舞遥翮，九野弄清音。一摧云间志，为君苑中禽。

——南北朝·萧道成《群鹤咏》

黄鹤远联翩，从鸾下紫烟。翱翔一万里，来去几千年。已憩青田侧，时游丹禁前。莫言空警露，犹冀一闻天。

——唐·李峤《鹤》

晓日东田去，烟霞北渚归。欢呼良自适，罗列好相反。远集长江静，高翔众鸟稀。届烦仙子驭，何谓野人机。

——唐·张九龄《郡中见群鹤》

昔人已乘黄鹤去，此地空余黄鹤楼。黄鹤一去不复返，白云千载空悠悠。

——唐·崔颢《黄楼鹤》

舞鹤傍池边，水清毛羽鲜。立如依岸雪，飞似向池泉。江海虽言旷，无如君子前。

——唐·储光羲《杂咏·池边鹤》

雨湿松阴凉，风落松花细。独鹤爱清幽，飞来不飞去。

——唐·戴叔伦《松鹤》

晓鹤弹古舌，婆罗门叫音。应吹天上律，不使尘中寻。虚空梦皆断，歆唏安能禁。如开孤月口，似说明星心。既非人间韵，枉作人间禽。不如相将去，碧落窠巢深。

——唐·孟郊《晓鹤》

主人一去池水绝，池鹤散飞不相别。青天漫漫碧水重，知向何山风雪中。万里虽然音影在，两心终是死生同。池边巢破松树死，树头年年乌生子。

——唐·王建《别鹤曲》

徐引竹间步，远含云外情。

——唐·刘禹锡《竹鹤图》

我本海上鹤，偶逢江南客。感君一顾恩，同来洛阳陌。洛阳寡族类，皎皎唯两翼。貌是天与高，色非日浴白。主人诚可恋，其奈轩庭窄。饮啄杂鸡群，年深损标格。故乡渺何处，云水重重隔。谁念深笼中，七换摩天翮？

——唐·白居易《代鹤》

鹤有不群者，飞飞在野田。饥不啄腐鼠，渴不饮盗泉。贞姿自耿介，杂鸟何翩翾。同游不同志，如此十余年。一兴嗜欲念，遂为矰缴牵。委质小池内，争食群鸡前。不惟怀稻粱，兼亦竞腥膻。不惟恋主人，兼亦狎乌鸢。物心不可知，天性有时迁。一饱尚如此，况乘大夫轩。

——唐·白居易《感鹤》

高竹笼前无伴侣，乱鸡群里有风标。
低头乍恐丹砂落，晒翅常疑白雪销。
转觉鸬鹚毛色下，若嫌鹦鹉语声娇。
临风一唳思何事，怅望青田云水遥。

——唐·白居易《池鹤》

池中此鹤鹤中稀，恐是辽东老令威。
带雪松枝翘膝胫，放花菱片缀毛衣。
低徊且向林间宿，奋迅终须天外飞。

若问故巢知处在，主人相恋未能归。

——唐·白居易《池鹤》

清音迎晓月，愁思立寒蒲。丹顶西施颊，霜毛四皓须。
碧云行止躁，白鹭性灵粗。终日无群伴，溪边吊影孤。

——唐·杜牧《鹤》

分飞共所从，六翮势催风。声断碧云外，影孤明月中。
青田归路远，丹桂旧巢空。矫翼知何处？天涯不可穷。

——唐·杜牧《别鹤》

幽居正想餐霞客，夜久月寒珠露滴。
千年独鹤两三声，飞下岩前一枝柏。

——唐·施肩吾《秋夜山居》

白丝翎羽丹砂顶，晓度秋烟出翠微。
来向孤松枝上立，见人吟苦却高飞。

——唐·刘得仁《忆鹤》

瘦玉萧萧伊水头，风宜清夜露宜秋。
更教仙骥旁边立，尽是人间第一流。

——宋·钱惟演《对竹思鹤》

红衫侍女频倾酒，龟鹤仙人来献寿。
欢声喜气逐时新，青鬓玉颜长似旧。

——宋·晏殊《木兰花》

此去应无滞。稳步烟宵地。鹏万里，鹤千岁。他年黄阁老，访我清溪醉。青凤舞，贻君万斛瑶花蕊。

——宋·朱敦儒《千秋岁》

清晓觚棱拂彩霓，仙禽告瑞忽来仪。
飘飘元是三山侣，两两还呈千岁姿。
似拟碧鸾栖宝阁，岂同赤雁集天池。
徘徊嘹唳当丹关，故使憧憧庶俗知。

——宋·赵佶《瑞鹤图》

几见芙蓉并蒂，忽生三秀灵芝。千年老树出孙枝，岩桂秋来满地。
白鹤云间翔舞，绿龟叶上游戏。齐眉偕老更何疑，个里自非尘世。

——宋·向子諲《西江月》

猗猗绿绮琴，中秘云和音。一弹动鸣玉，再弹锵南金。
翩翩玄鹤舞，幽幽孤凤鸣。嗟哉尘俗耳，折扬听哇淫。
淳源日凋谢，谁识雅与南？愿更南风奏，以慰斯民心。

——元·王冕《琴鹤送贾治安同知》

辛辛华表鹤，古质清且闲。旷哉万里怀，皓月同蹁跹。
饥琢芝田春，渴饮瑶池泉。一鸣九皋远，梦浇琼华寒。
下视寰中人，谁识横江仙？岂无王子乔？相期青云端。

——元·王冕《琴鹤送贾治安同知》

层壁耸奇诡，云浪郁纡盘。松根芝草茂，常令鹤护看。

——清·华喦《松鹤图》

笔情墨趣苦中甜，芝秀兰香活水边。
松鹤长余百千岁，李生七十犹少年。

——清·李鱓《松鹤图》

鹤与寒梅共岁华。

——现代·潘天寿《梅鹤图》

【鹭类】

两个黄鹂鸣翠柳，一行白鹭上青天。
窗含西岭千秋雪，门泊东吴万里船。

——唐·杜甫《绝句》

江月去人只数尺，风灯照夜欲三更。
沙头宿鹭联拳静，船尾跳鱼拨剌鸣。

——唐·杜甫《漫成一首》

白鹭潜来兮，邈风标之公子。

——唐·杜牧《晚晴赋》

常记溪亭日暮，沉醉不知归路。兴尽晚回舟，误入藕花深处。争渡，争渡，惊起一滩鸥鹭。

——宋·李清照《如梦令》

花开红树乱莺啼，草长平湖白鹭飞。风日晴和人意好，夕阳箫鼓几船归。

——宋·徐元杰《湖上》

青苔白石鱼鳞腥，尽日独拳寒雨汀。疑是晴江沙上雪，黄昏一点不分明。

——元·叶颙《鹭立寒江》

青山淡抹走轻烟，杨柳高楼大道边。闲杀春光看振鹭，一拳撑破水中天。

——清·黄慎《柳塘双鹭图》

【鹰类】

风劲角弓鸣，将军猎渭城。草枯鹰眼疾，雪尽马蹄轻。忽过新丰市，还归细柳营。回看射雕处，千里暮云平。

——唐·王维《观猎》

八月边风高，胡鹰白锦毛。孤飞一片雪，百里见秋毫。

——唐·李白《观放百鹰两首·之一》

寒冬十二月，苍鹰八九毛。寄言燕鹊莫相啄，自又云霄万里高。

——唐·李白《观放百鹰两首·之二》

素练风霜起，苍鹰画作殊。奴身思狡兔，侧目似愁胡。绦镟光堪摘，轩楹势可呼。何当击凡鸟，毛血洒平芜。

——唐・杜甫《画鹰》

近时冯绍正，能画鸷鸟样。明公出此图，无乃传其状。殊姿各独立，清绝心有向。疾禁千里马，气敌万人将。忆昔骊山宫，冬移含元仗。天寒大羽猎，此物神俱王。当时无凡材，百中皆用壮。粉墨形似间，识者一惆怅。干戈少暇日，真骨老崖嶂。为君除狡兔，会是翻鞲上。

——唐・杜甫《杨监又出画鹰十二扇》

楚公画鹰鹰戴角，杀气森森到幽朔。观者贪愁掣臂飞，画师不是无心学。此鹰写真在左绵，却嗟真骨遂虚传。梁间燕雀休惊怕，亦未抟空上九天。

——唐・杜甫《姜楚公画角鹰歌》

爪利如锋眼似铃，平原捉兔称高情。无端窜向青云外，不得君王臂上擎。

——唐・薛涛《十离诗・鹰离鞲》

毛羽煸斓白纻裁，马前擎出不惊猜。轻抛一点入云去，喝杀三声掠地来。

绿玉觜攒鸡脑破，玄金爪擘兔心开。
都缘解搦生灵物，所以人人道俊哉。

——唐·刘禹锡《白鹰》

十月鹰出笼，草枯雉兔肥。下鞲随指顾，百掷无一遗。鹰翅疾如风，鹰爪利如锥。本为鸟所设，今为人所资。孰能使之然，有术甚易知。取其向背性，制在饥饱时。不可使长饱，不可使长饥。饥则力不足，饱则背人飞。乘饥纵搏击，未饱须絷维。所以爪翅功，而人坐收之。圣明驭英雄，其术亦如斯。鄙语不可弃，吾闻诸猎师。

——唐·白居易《放鹰》

星眸未放瞥秋毫，频掣金铃试雪毛。
会使老拳供口腹，莫辞亲手啖腥臊。
穿云自怪身如电，煞兔谁知吻胜刀。
可惜忍饥寒日暮，向人鸧断碧丝绦。

——唐·章孝标《鹰》

越海霜天暮，辞韬野草干。俊通司隶职，严奉武夫官。眼恶藏蜂在，心粗逐物殚。近来脂腻足，驱遣不妨难。

——唐·罗隐《鹰》

天边心胆架头身，欲拟飞腾未有因。
万里碧霄终一去，不知谁是解绦人。
——唐·崔铉《咏架上鹰》

虽是丹青物，沉吟亦可伤。君夸鹰眼疾，我悯兔心忙。
岂动骚人兴，惟增猎客狂。鲛绡百余尺，争及制衣裳。
——五代·和凝《题鹰猎兔画》

雪爪星眸世所稀，摩天专待振毛衣。
虞人莫漫张罗网，未肯平原浅草飞。
——五代·高越《咏鹰》

百余年来画禽鸟，后有吕纪前边昭。
二子工似不工意，吮笔决眦分毫毛。
林良写鸟只用墨，开缣半扫风云黑。
水禽陆禽各臻妙，挂出满堂皆动色。
空山古林江怒涛，两鹰突出霜崖高。
整骨刷羽意势动，四壁六月生秋飕。
一鹰下视睛不转，已知两眼无秋毫。
一鹰掉头复欲下，渐觉振翮风萧萧。
匹绡虽惨淡，杀气不可灭。
戴角森森爪拳铁，迥如愁胡眦欲裂。
朔风吹沙秋草黄，安得臂尔骑驷骥！
草间妖鸟尽击死，万里晴空洒毛血。
我闻宋徽宗，亦善貌此鹰。后来失天子，饿死五国城。

乃知写画小人艺，工意工似皆虚名。
校猎驰骋亦末事，外作禽荒古有经。
今王恭默罢游宴，讲经日御文华殿。
南海西湖驰道荒，猎师虞长皆贫贱。
吕纪白首金炉边，日暮还家无酒钱。
从来上智不贵物，淫巧岂敢陈王前。
良乎，良乎，宁使尔画不直钱，无令后世好画兼好畋。

——明·李梦阳《林良画两角鹰歌》

落日平原散鸟群，秋风爽气动秋旻。
江边老树真如铁，独立槎枒一欠申。

——明·陈献章《题林良苍鹰图》

寒山几堵，风低削碎中原路。秋空一碧无古今，醉袒貂裘，略记寻呼处。
男儿身手和谁赌？老气猛来还轩举，人间多少闲狐兔？月黑沙黄，此际偏思汝！

——清·陈维崧《醉落魄·咏鹰》

左看若侧，右视如倾。劲翮二六，机速体轻。
钩抓悬芒，正如枯荆。嘴利吴戟，目颖星明。
雄安邈世？逸气横生。

——清·黄慎《英雄独立图》

一啸青霄万里风，草间狐兔几回空。
不知敛迹惊涛里，却是千人百购中。
犹记鸣鞘出灞陵，新丰市北醉呼鹰。

于今豪气都消尽，闲看新图剔雁灯。

——现代·高剑父《鹰》

文梁五色降，秋高意自豪。怒张两目直，霄汉岂与短。

——现代·高剑父《鹫》

【雁类】

天霜河白夜星稀，一雁声嘶何处归。早知半路应相夫，不如从来本独飞。

——南北朝·萧纲《夜望单飞雁》

联翩辞海曲，遥曳指江干。阵去金河冷，书归玉塞寒。带月凌空易，迷烟逗浦难。何当同顾影，刷羽泛清澜。

——唐·骆宾王《秋晨同淄川毛司马秋九咏·秋雁》

春晖满朔方，归雁发衡阳。望月惊弦影，排云结阵行。

往还倦南北，朝夕苦风霜。寄语能鸣侣，相随入帝乡。

——唐·李峤《雁》

木落雁南渡，北风江上寒。我家襄水曲，遥隔楚云端。乡泪客中尽，孤帆天际看。迷津欲有问，平海夕漫漫。

——唐·孟浩然《早寒有怀》

野云万里无城郭，雨雪纷纷连大漠。胡雁哀鸣夜夜飞，胡儿眼泪双双落。

——唐·李颀《古从军行》

弃我去者，昨日之日不可留；乱我心者，今日之日多烦忧。长风万里送秋雁，对此可以酣高楼。

——唐·李白《宣州谢朓楼饯别校书叔云》

生涯岂料承优诏？世事空知学醉歌。江上月明胡雁过，淮南木落楚山多。

——唐·刘长卿《江州重别薛六柳八二员外》

戍鼓断人行，边秋一雁声。露从今夜白，月是故乡明。有弟皆分散，无家问死生。寄书长不达，况乃未休兵。

——唐·杜甫《月夜忆舍弟》

凉风起天末，君子意如何？鸿雁几时到，江湖秋水多。

文章憎命达，魑魅喜人过。应共冤魂语，投诗赠汨罗。

——唐·杜甫《天末怀李白》

嗷嗷鸣雁鸣且飞，穷秋南去春北归。
去寒就暖识所处，天长地阔栖息稀。
风霜酸苦稻粱微，羽毛摧落身不肥。
徘徊反顾群侣违，哀鸣欲下洲渚非。
江南水阔朝云多，草长沙软无网罗。
闲飞静集鸣相和，违忧怀息性匪他。
凌风一举君谓何。

——唐·韩愈《秋雁》

何处秋风至？萧萧送雁群。朝来入庭树，孤客最先闻。

——唐·刘禹锡《秋风引》

遥夜泛清瑟，西风生翠萝。残萤栖玉露，早雁拂金河。
高树晓还密，远山晴更多。淮南一叶下，自觉洞庭波。

——唐·许浑《早秋》

冰簟银床梦不成，碧天如水夜云轻。
雁声远过潇湘去，十二楼中月自明。

——唐·温庭筠《瑶瑟怨》

万里衔芦别故乡，雪飞雨宿向潇湘。
数声孤枕堪垂泪，几处高楼欲断肠。
度日翩翩斜避影，临风一一直成行。
年年辛苦来衡岳，羽翼摧残陇塞霜。

——唐·杜牧《雁》

初闻征雁已无蝉，百尺楼高水接天。
青女素娥俱耐冷，月中霜里斗婵娟。
——唐·李商隐《霜月》

南北路何长，中间万弋张。不知烟雾里，几只到衡阳。
——唐·陆龟蒙《雁》

别来春半，触目柔肠断。砌下落梅如雪乱，拂了一身还满。
雁来音信无凭，路遥归梦难成。离恨恰如春草，更行更远还生。
——五代·李煜《清平乐》

塞下秋来风景异，衡阳雁去无留意。四面边声连角起。千嶂里，长烟落日孤城闭。
——宋·范仲淹《渔家傲》

红耦香残玉簟秋。轻解罗裳，独上兰舟。
云中谁寄锦书来？雁字回时，月满西楼。
——宋·李清照《一剪梅》

寻寻觅觅，冷冷清清，凄凄惨惨戚戚。乍暖还寒时候，最难将息。
三杯两盏淡酒，怎敌他、晚来风急。雁过也，正伤心，却是旧时相识。
——宋·李清照《声声慢》

白露蒹葭八月秋，征鸿又作稻粱谋。
一群嘹呖相呼应，多在萍荒浅水洲。

——明·唐寅《征鸿图》

万里南来道路长，更将秋色到衡阳。江湖满地皆矰缴，何处西风有稻粱。随落日，渡清湘，晚鸦冲突不成行。相呼莫向南楼过，应有佳人恼夜凉。

——明·文徵明《秋雁》

月冷风清洲北，沙明水碧汀西。得睡且须熟睡，莫近客船乱啼。

——清·边寿民《芦雁图册》

皑皑沙洲积，芦丛压更多。莫嗟寒太酷，塞北又如何？

——清·边寿民《芦雁图》

【燕类】

燕燕于飞，差池其羽。之子于归，远送于野。瞻望弗及，泣涕如雨。

燕燕于飞，颉之颃之。之子于归，远于将之。瞻望弗及，伫立以泣。

燕燕于飞，下上其音。之子于归，远送于南。瞻望弗及，实劳我心。

仲氏任只，其心塞渊。终温且惠，淑慎其身。先君之思，以勖寡人。

——先秦·无名氏《诗经·国风·邶风·燕燕》

天女伺辰至，玄衣澹碧空。差池沐时雨，颉颃舞春风。

相贺雕阑侧，双飞翠幕中。勿惊留爪去，犹冀识吴宫。

——唐·李峤《燕》

变石身犹重，衔泥力尚微。从来赴甲第，两起一双飞。

——唐·张鷟《咏燕》

海燕何微眇，乘春亦暂来。岂知泥滓贱，只见玉堂开。绣户时双入，华轩日几回。无心与物竞，鹰隼莫相猜。

——唐·张九龄《咏燕》

千家山郭静朝晖，日日江楼坐翠微。
信宿渔人还泛泛，清秋燕子故飞飞。

——唐·杜甫《秋兴》

拂水竞何忙，傍檐如有意。翻风去每远，带雨归偏驶。令君裁杏梁，更欲年年去。

——唐·皇甫冉《赋得檐燕》

出入朱门未忍抛，主人常爱语交交。
衔泥秽污珊瑚枕，不得梁间更垒巢。

——唐·薛涛《十离诗·燕离巢》

百鸟乳雏毕，秋燕独蹉跎。去社日已近，衔泥意如何。
不悟时节晚，徒施工用多。人间事亦尔，不独燕营巢。

——唐·白居易《晚燕》

从扑香尘拂面飞，怜渠只为解相依。
经冬好近深炉暖，何必千岩万水归？
——唐·司空图《秋燕》

我屋汝嫌低不住，雕梁画阁也知宽。
大须稳择安巢处，莫道巢成却不安。
——唐·杜荀鹤《春来燕》

年去年来来去忙，春寒烟暝渡潇湘。
低飞绿岸和梅雨，乱入红楼拣杏梁。
闲几砚中窥水浅，落花径里得泥香。
千言万语无人会，又逐流莺过短墙。
——唐·郑谷《燕》

每岁同辛苦，看人似有情。乱飞春得意，幽语夜闻声。
整羽庄姜恨，回身汉后轻。豪家足金弹，不用污雕楹。
——唐·李山甫《燕》

不知大厦许栖无，频已衔泥到座隅。
曾与佳人并头语，几回抛却绣工夫。
——唐·秦韬玉《燕子》

燕燕巢时帘幕卷，莺莺啼处凤楼空。
少年薄幸知何处，每夜归来春梦中。
——五代·冯延巳《舞春风》

多时窗外语呢喃，只要佳人卷绣帘。
大厦已成须庆贺，高门频入莫憎嫌。

花间舞蝶和香趁，江畔春泥带雨衔。
栖息数年情已厚，营巢争肯傍他檐。
——五代·刘兼《春燕》

一曲新词酒一杯，去年天气旧亭台。夕阳西下几时回？
无可奈何花落去，似曾相识燕归来。小园香径独徘徊。
——宋·晏殊《浣溪沙》

画阁归来春又晚。燕子双飞，柳软桃花浅。
细雨满天风满院。愁眉敛尽无人见。
——宋·欧阳修《蝶恋花》

梦后楼台高锁，酒醒帘幕低垂。去年春恨却来时。落花人独立，微雨燕双飞。
——宋·晏几道《临江仙》

深闺寂寞带斜晖，又是黄昏半掩扉。
燕子不知人意思，檐前故作一双飞。
——宋·朱淑真《观燕》

停针无语泪盈眸，不但伤春夏亦愁。
花外飞来双燕子，一番飞过一番羞。
——宋·朱淑真《羞燕》

春已半，触目此情无限。十二阑干闲倚遍，愁来天不管。
好是风和日暖，输与莺莺燕燕。满院落花帘不卷，断肠芳草远。

——宋·朱淑真《谒金门·春半》

正岑寂，明朝又寒食。强携酒、小桥宅。怕梨花落尽成秋色。燕燕飞来，问春何在，唯有池塘自碧。

——宋·姜夔《淡黄柳》

过春社了，度帘幕中间，去年尘冷。差池欲住，试入旧巢相并。还相雕梁藻井，又软语商量不定。飘然快拂花梢，翠尾分开红影。

芳径，芹泥雨润，爱贴地争飞，竞夸轻俊。红楼归晚，看足柳暗花暝。应自栖香正稳，便忘了天涯芳信。愁损翠黛双蛾，日日画阑独凭。

——宋·史达祖《双双燕·咏燕》

采芳人杳，顿觉游情少。客里看春多草草，总被诗愁分了。

去年燕子天涯，今年燕子谁家？三月休听夜雨，如今不是催花。

——宋·张炎《清平乐》

小玉栏杆月半掐，嫩绿池塘春几家。乌啼芳树丫，燕衔黄柳花。

——元·张可久《凭栏人·暮春即事》

莺莺燕燕春春，花花柳柳真真，事事风风韵韵。娇娇嫩嫩，停停当当人人。

——元·乔吉《天净沙·即事》

燕子归来杏子花，红桥低影绿池斜。

清明时节斜阳里，个个行人问酒家。

——明·唐寅《题杏林春燕图》

红杏梢头挂酒旗，绿杨枝上转黄骊。
鸟声花影留人住，不赏东风也是痴。

——明·唐寅《题杏林春燕图》

临风作态笔端寻，无限乌衣报好音。
欲画堂前多燕喜，花光柳韵与春深。

——清·李鱓《杏林燕子图》

柳丝榆荚自芳菲，不管桃飘与李飞。
桃李明年能再发，明年闺中知有谁？
三月香巢已垒成，梁间燕子太无情。
明年花发虽可啄，却不道人去梁空巢也倾。

——清·曹雪芹《红楼梦·葬花词》

何处飞来双燕子，向人如絮话从前。

——现代·唐云《柳燕图》

【雀类】

大厦初成日，嘉宾集杏梁。衔书表周瑞，入幕应王祥。暮宿江城里，朝游涟水傍。愿齐鸿鹄至，希逐凤凰翔。

——唐·李峤《雀》

啧啧雀引雏，稍稍笋成竹。时物感人情，忆我故乡曲。故园渭水上，十载事樵牧。手种榆柳成，阴阴覆墙屋。

——唐·白居易《孟夏思渭村旧居寄舍弟》

屋头小雀雏，气力苦未长。乘喧学调羽，忽挂蜘蛛网。其母不能救，啁啾空下上。乃为人所探，不是虫丝枉。

——宋·梅尧臣《稚子获雀雏》

粲粲五色羽，炎方凤之徒。青黄缟玄服，翼卫两绂朱。仁心知闵农，常告雨霁符。我穷惟四壁，破屋无瞻乌。惠然此粲者，来集竹与梧。锵鸣如玉佩，意欲相嬉娱。寂寞两黎生，食菜真臞儒。小圃散春物，野桃陈雪肤。举杯得一笑，见此红鸾雏。高情如飞仙，未易握粟呼。

胡为去复来，眷眷岂属吾。回翔天壤间，何必怀此都。

——宋·苏轼《五色雀》

小虫心在一啄间，得失与世同轻重。
丹表妙处不可传，轮扁斲轮如此用。

——宋·黄庭坚《戏题小雀捕飞虫画扇》

头如蒜颗眼如椒，雄逐雌飞向苇萧。
莫趁螳螂失巢穴，有人拈弹不相饶。

——明·唐寅《寒雀争松图》

从从花色映霞妆，西域移来种自芳。
幽赏不知春已去，尚闻野雀噪斜阳。

——明·文徵明《蔷薇麻雀图》

群雀争飞聚不休，无肠多作稻粱谋。
湖田未耨官租急，几许忧勤得有秋。

——明·项圣谟《群雀稻蟹图》

西洲春薄醉，南内花已晚。傍着独琴声，谁为挽歌版？
横施尔亦便，炎凉何可无？开馆天台山，山鸟为门徒。

——清·八大山人《双雀图》

寒如春生冻雀知，琼花初满向南枝。

——清·杨晋《花鸟写生图·梅雀》

文雀最微细，毛翮何妍鲜。嗤鄙长嘴鸟，恶声当人前。

——清·华喦《竹石文雀图》

江南雪月白如银，带醉归来别馆春。
忽到画间疑是梦，绕帘梅影是前身。

——清·黄慎《雪梅寒雀图》

有雀有雀，北啄南剥。我屋既穿，谁谓汝无角？

——现代·齐白石《雀》

【鸦鹊鸲鹆类】

维鹊有巢，维鸠居之；之子于归，百两御之。
维鹊有巢，维鸠方之；之子于归，百两将之。
维鹊有巢，维鸠盈之；之子于归，百两成之。

——先秦·无名氏《诗经·国风·召南·鹊巢》

日路朝飞急，霜台夕影寒。联翩依月树，迢递绕风竿。白首何年改，青琴此夜弹。灵台如可托，千里向长安。

——唐·李峤《乌》

不分荆山抵，甘从石印飞。危巢畏风急，绕树觉星稀。

喜逐行人至，愁随织女归。倘游明镜里，朝夕动光辉。

——唐·李峤《鹊》

鸲鹆鸲鹆，众皆如漆，尔独如玉。鸲之鹆之，众皆蓬蒿下，尔自三山来。三山处子下人间，绰约不妆冰雪颜。仙鸟随飞来掌上。来掌上，时拂拭。人心鸟意自无猜，玉指霜毛本同色。有时一去凌苍苍，朝游汗漫暮玉堂。巫峡雨中飞暂湿，杏花林里过来香。日夕依仁全羽翼，空欲衔环非报德。岂不及阿母之家青鸟儿，汉宫来往传消息。

——唐·韦应物《宝观主白鸲鹆歌》

我来属无事，暖日相与永。喜鹊翻初旦，愁鸢蹲落景。坐见渔樵还，新月溪上影。悟彼良自哈，归田行可请。

——宋·苏轼《虎丘寺》

墙头花外说新晴，拨去闲愁着耳听。青鸟已承云信息，预先来报两三声。

——宋·朱淑真《闻鹊》

明月别枝惊鹊，清风半夜鸣蝉。稻花香里说丰年，听取蛙声一片。七八个星天外，两三点雨山前。旧时茅店社林边，路转溪头忽见。

——宋·辛弃疾《西江月·夜行黄沙道中》

海榴自是神仙物，种托君家有异根。不独长生堪服食，又期多子应儿孙。

——明·沈周《海榴喜鹊图》

山空寂静人声绝，栖鸟数声春雨余。

——明·唐寅《枯槎鸲鹆图》

君家有高树，夜夜宿慈乌。乌好人亦好，为君还作图。

——明·文徵明《高树栖鸦图》

日光浮喜动檐楹，乌鹊于人亦有情。
小雨初收风泼泼，乱飞从竹送欢声。

——明·文徵明《画鹊》

鸲鹆之鸟，出于南方。南人罗尔调其后，久之，能效人言。但能效声而止，终日所唱，惟数声也。蝉鸣于庭，鸟闻而笑之。蝉谓之曰：「子能人言，甚善；然子所言者，未尝言也。偈若我自鸣其意哉！」鸟俯首而惭，终身不复效人言。

——明·庄元臣《鸲鹆鸟》

风前来蕊香仙觉，雪里横枝影不疑。
犬吠溪桥明月夜，乌惊山寺门开时。

——明·陈嘉言《梅鹊图》

日上红榴人未起，声声报彻梦回时。

——清·华嵒《红榴双鹊图》

听残玉漏天将曙，几点寒鸦带月啼。

——清·华嵒《寒鸦啼月图》

喜鹊声唶唶，俗云报喜鸣。我属望雨候，厌听为呼晴。

——清·弘历《喜鹊》

一枝栖亦安，三山来应寡。谁云不逾济，看取哵哵者。

——清·弘历《题唐寅枯槎鸲鹆图》

等闲学得鹦哥语，也向人前说是非。

——现代·齐白石《八哥海棠》

八哥解语偏饶舌，鹦鹉能言有是非。
省却人间烦恼事，斜阳古树数寒鸦。

——现代·齐白石《古树归鸦图》

山禽隐静幽，翠湿枝上露。丹青老无灵，婆娑失故步。

——现代·谢稚柳《碧枝山鹊图》

【黄鹂画眉类】

芳树杂花红，群莺乱晓空。声分折杨吹，娇韵落梅风。
写啭清弦里，迁乔暗木中。友生若可冀，幽谷响还通。

——唐·李峤《莺》

两个黄鹂鸣翠柳，一行白鹭上青天。
窗含西岭千秋雪，门泊东吴万里船。

——唐·杜甫《绝句》

一簇林亭返照间，门当官道不曾关。
花深远岸黄莺闹，雨急春塘白鹭闲。

——唐·韦庄《题姑苏凌处士庄》

柳带似眉全展绿，杏苞如脸半开香。
黄莺历历啼红树，紫燕关关语画梁。
——唐·韩偓《御制春游长句》

燕燕巢时帘幕卷，莺莺啼处凤楼空。
少年薄幸知何处，每夜归来春梦中。
——五代·冯延巳《舞春风》

柳岸烟昏醉里归，不知深处有芳菲。
重来已见花飘尽，唯有黄莺啭树飞。
——五代·徐铉《柳枝辞》

花正芳，楼似绮，寂寞上阳宫里。钿笼金锁睡鸳鸯，帘冷露华珠翠。
娇艳轻盈香雪腻，细雨黄莺双起。东风惆怅欲清明，公子桥边沉醉。
——五代·张泌《满宫花》

百啭千声随意移，山花红紫树高低。
始知锁向金笼听，不及林间自在啼。
——宋·欧阳修《画眉鸟》

青鸟衔巾久欲飞，黄莺别主更悲啼。
殷勤莫忘分携处，湖水东边凤岭西。
——宋·苏轼《赠别》

野花啼鸟喜新晴，湖上波光漾日明。
底事伤春心绪懒，不堪愁里听莺声。
——宋·朱淑真《游西湖闻莺》

黄鸟嘤嘤，晓来却听丁丁木。芳心已逐，泪眼倾珠斛。
见自无心，更调离情曲。鸳帏独。望休穷目，回首溪山绿。

——宋·朱淑真《点绛唇·闻莺》

花开红树乱莺啼，草长平湖白鹭飞。
风日晴和人意好，夕阳箫鼓几船归。

——宋·徐元杰《湖上》

心中真性修行主，锻练金丹津液。交流浇淋，无根有苗琼树。常灌溉润瑶枝，密叶黄莺语。莹灵声韵明眸，正觑婴儿，兑方骑虎。
堪诉。姹女跨青龙，四个同归去。本元初得，静里还辉。回光使胎仙舞。应出上现昆仑，得复蓬莱处。我不妄想云霞，鸾鹤天然与。

——元·王哲《黄莺儿》

乍醒春睡犹余倦，微醉香醪已带酣。
尔自画眉侬不屑，只凭风味耐人看。

——清·张乃耆《海棠画眉图》

新声变曲，奇韵横逸。萦缠歌舞，网罗钟律。

——清·华嵒《秋枝画眉图》

眉约春娇，声流秋响。冷烟霜柏，晴晖涤荡。

——清·华嵒《画眉秋叶图》

【鹦鹉类】

牵弋辞重海，触网去层峦。戢翼雕笼际，延思彩霞端。慕侣朝声切，离群夜影寒。能言殊可贵，相助忆长安。

——唐·李义府《咏鹦鹉》

陇西独自一孤身，飞去飞来上锦茵。都缘出语无方便，不得笼中再唤人。

——唐·薛涛《十离诗·鹦鹉离笼》

安南远进红鹦鹉，色似桃花语似人。文章辩慧皆如此，笼槛何年出得身？

——唐·白居易《红鹦鹉》

竟日语还默，中宵栖复惊。身囚缘彩翠，心苦为分明。暮起归巢思，春多忆侣声。谁能拆笼破，从放快飞鸣？

——唐·白居易《鹦鹉》

华堂日渐高，雕槛系红绦。故国陇山树，美人金剪刀。避笼交翠尾，罅嘴静新毛。不念三缄事，世途皆尔曹。

——唐·杜牧《鹦鹉》

日射纱窗风撼扉，香罗拭手春事违。回廊四合掩寂寞，碧鹦鹉对红蔷薇。

——唐·李商隐《日射》

色白还应及雪衣，嘴红毛绿语仍奇。
年年锁在金笼里，何似陇山闲处飞。
——唐·来鹄《鹦鹉》

画堂昨夜愁无睡，风雨凄凄。林鹊单栖，落尽灯花鸡未啼。
年光往事如流水，休说情迷。玉箸双垂，只是金笼鹦鹉知。
——五代·冯延巳《采桑子》

玉钩弯柱调鹦鹉，宛转留春语。
云屏冷落画堂空，薄晚春寒无奈，落花风。
搴帘燕子低飞云，拂镜尘鸾舞。
不知今夜月眉弯，谁佩同心双结，倚阑干？
——五代·冯延巳《虞美人·鹦鹉学舌》

土花曾染湘娥黛，铅泪难消。清韵谁敲，不是犀椎是凤翘。
只应长伴端溪紫，割取秋潮。鹦鹉偷教，方响前头见玉箫。
——清·纳兰性德《采桑子》

风漱碧崖修羽软，数声喷过竹面来。
——清·华喦《枝头鹦鹉图》

【翠鸟类】

庭陬有若榴，绿叶含丹荣。翠鸟时来集，振翼修形容。
回顾生碧色，动摇扬缥青。幸脱虞人机，得亲君子庭。
驯心托君素，雌雄保百龄。

——汉·蔡邕《翠鸟诗》

有意莲叶间，瞥然下高树。擘波得潜鱼，一点翠光去。

——唐·钱起《蓝田溪杂咏·衔鱼翠鸟》

残芦野水愁无限，一个鱼郎霜满天。

——现代·高剑父《翠鸟》

昨夜银塘新水涨，晓来到处觅鱼虾。

——现代·唐云《银塘翠鸟》

【鸳鸯类】

鸳鸯于飞，毕之罗之。君子万年，福禄宜之。
鸳鸯在梁，戢其左翼。君子万年，宜其遐福。
乘马在厩，摧之秣之。君子万年，福禄艾之。
乘马在厩，秣之摧之。君子万年，福禄绥之。

——先秦·无名氏《诗经·小雅·甫田之什·鸳鸯》

借问吹箫向紫烟，曾经学舞度芳年。
得成比目何辞死，愿作鸳鸯不羡仙。
比目鸳鸯真可羡，双去双来君不见？
生憎帐额绣孤鸾，好取门帘帖双燕。

——唐·卢照邻《长安古意》

飞飞鸳鸯鸟，举翼相蔽亏。俱来绿潭里，共向白云涯。
音容相眷恋，羽翮两逶迤。苹萍戏春渚，霜霰绕寒池。
浦沙连岸净，汀树拂潭垂。年年此游玩，岁岁来追随。
凤凰起丹穴，独向梧桐枝。鸿雁来紫塞，空忆稻粱肥。
乌啼倦依托，鹤鸣伤别离。岂若此双禽，飞翻不异林。
刷尾青江浦，交颈紫山岑。文章负奇色，和鸣多好音。
闻有鸳鸯绮，复有鸳鸯衾。持为美人赠，勖此故交心。

——唐·陈子昂《鸳鸯篇》

迟日江山丽，春风花草香。泥融飞燕子，沙暖睡鸳鸯。

——唐·杜甫《绝句》

雌去雄飞万里天，云罗满眼泪潸然。
不须长结风波愿，锁向金笼始两全。

——唐·李商隐《鸳鸯》

翠翘红颈覆金衣，滩上双双去又归。
长短死生无两处，可怜黄鹄爱分飞。

——唐·吴融《鸳鸯》

镜湖八百里何长，中有荷花分外香。
蝴蝶正愁飞不过，鸳鸯拍水自双双。

——明·徐渭《花卉杂画卷·荷花鸳鸯》

鸳鸯怀春，芙蓉照影。如此佳景，如此佳景。

——清·华喦《荷花鸳鸯》

桃柳鸳鸯争好春，落花蝴蝶迷芳草。

——现代·唐云《桃柳鸳鸯图》

【鸠鸽类】

关关雎鸠，在河之洲。窈窕淑女，君子好逑。参差荇菜，左右流之。窈窕淑女，寤寐求之。求之不得，寤寐思服。悠哉悠哉，辗转反侧。参差荇菜，左右采之。窈窕淑女，琴瑟友之。参差荇菜，左右芼之。窈窕淑女，钟鼓乐之。

——先秦·无名氏《诗经·国风·周南·关雎》

举翼凌空碧，依人到大邦。粉翎栖画阁，雪影拂琼窗。振鹭堪为侣，鸣鸠好作双。狎鸥归未得，睹尔忆晴江。

——唐·徐寅《白鸽》

孤来有野鸽，觜眼肖春鸠。饥肠欲得食，立我南屋头。

我见如不见，夜去向何求。一日偶出群，盘空恣嬉游。
谁借风铃响，朝夕声不休。饥色犹未改，翻翅如我仇。
炳哉有露凤，天抑为尔俦。翕翼处其间，顾我独迟留。
凤至吾道行，凤去吾道休。鸽乎何所为，勿污吾铛瓯。

——宋·梅尧臣《野鸽》

空闻白乌群，嘲秋度寒暑。何以枝头鸠，声声能唤雨。

——明·沈周《鸠声唤雨图》

别院花飞雨乍晴，暖风吹日困人情。
不知春色来多少？试听双栖好鸟声。

——明·文徵明《杏花双鸠图》

良夜松花覆翠阴，西山孤月照深深。
春寒鸟影惊栖起，为有钟声唤隔林。

——清·恽寿平《孤月群鸠图》

碧嶂影斜新雨过，红棉树上白鸠眠。

——现代·高剑父《红棉白鸠》

三径黄花秋已老，鸠声日日唤阴晴。

——现代·唐云《秋圃双鸠图》

唤雨鸠鸣酿晓阴，桃花凝笑怯春醒。
欲寻四十年前梦，画腊迷茫又一程。

——现代·谢稚柳《桃花春鸠图》

【鸡雏类】

暧暧远人村，依依墟里烟。狗吠深巷中，鸡鸣桑树颠。户庭无尘杂，虚室有余闲。久在樊笼里，复得返自然。

——魏晋·陶渊明《归园田居》

白雉振朝声，飞来表太平。楚郊疑凤出，陈宝若鸡鸣。童子怀仁至，中郎作赋成。冀君看饮啄，耿介独含情。

——唐·李峤《雉》

白酒新熟山中归，黄鸡啄黍秋正肥。呼童烹鸡酌白酒，儿女歌笑牵人衣。

——唐·李白《南陵别儿童入京》

五步一啄草，十步一饮水。适性遂其生，时哉山梁雉。梁上无罾缴，梁下无鹰鹯。雌雄与群雏，皆得终天年。嗟嗟笼下鸡，及彼池中雁。既有稻粱恩，必有牺牲患。

——唐·白居易《山雉》

买得晨鸡共鸡语，常时不用等闲鸣。深山月黑风寒夜，欲近晓天啼一声。

——唐·白居易《晨鸡》

稻粱犹足活诸雏，妒敌专场好自娱。
可要五更惊晓梦，不辞风雪为阳乌。
——唐·李商隐《赋得鸡》

名参十二宿，花入羽毛深。守信催朝日，能鸣送晓阴。
峨冠装瑞玉，利爪削黄金。徒有稻粱感，何由报德音。
——唐·徐寅《鸡》

秋劲拒霜盛，峨冠锦羽鸡。已知全五德，安逸胜凫鹥。
——宋·赵佶《芙蓉锦鸡图》

鸡叫一声撅一撅，鸡叫两声撅两撅。
三声唤出扶桑来，扫退残星与晓月。
——明·朱元璋《金鸡报晓》

茸茸毛色半含黄，何独啾啾去母傍。
白日千年万年事，待渠催晓日应长。
——明·沈周《卧游图册·小鸡》

武距文冠五色翎，一声啼散满天星。
铜壶玉漏金门下，多少王侯勒马听。
——明·唐寅《咏鸡诗·之一》

头上红冠不用裁，满身雪白走将来。
平生不敢轻言语，一叫千门万户开。
——明·唐寅《咏鸡诗·之二》

血染冠头锦做翎，昂昂气象羽毛新。
大明门外朝天客，立马先听第一声。
——明·唐寅《咏鸡诗·之三》

不向朱门汗漫游，昂然独立倚高秋。
一声唤起天边日，便觉清光逼九州。
——明·文徵明《题唐寅墨鸡图》

花间得食自相呼，喔喔惊看在绿芜。
自散墨花成五色，一群都是凤凰雏。
——清·恽寿平《鸡》

怀君抱癖恶新衣，入夜荧荧见少微。
如此春光三四月，竹鸡声里菜花飞。
——清·黄慎《竹鸡图》

婆鸡婆鸡㖿㖿呼，毛羽鬅鬙喜抱雏。
此是农家经常事，莫言生息属陶朱。
——现代·齐白石《盆兰墨鸡图》

【鸭鹅类】

鹅，鹅，鹅，曲项向天歌。白毛浮绿水，红掌拨清波。

——唐·骆宾王《咏鹅》

飒沓睢阳涘，浮游汉水隈。钱飞出井见，鹤引入琴哀。李陵赋诗罢，王乔曳舄来。何当归太液，翱集动成雷。

——唐·李峤《凫》

鱼鳞可怜紫，鸭毛自然碧。吟咏秋水篇，渺然忘损益。秋水随形影，清浊混心迹。岁暮归去来，东山余宿昔。

——唐·刘希夷《秋日题汝阳潭壁》

花鸭无泥滓，阶前每缓行。羽毛知独立，黑白太分明。不觉群心妒，休牵众眼惊。稻粱沾汝在，作意莫先鸣。

——唐·杜甫《江头咏·花鸭》

碧池悠漾小凫雏，两两依依只自娱。钓艇忽移还散去，寒鸥有意即相呼。可怜翡翠归云髻，莫羡鸳鸯入画图。幸是羽毛无取处，一生安稳老菰蒲。

——唐·吴融《池上双凫》

竹外桃花三两枝，春江水暖鸭先知。
蒌蒿满地芦芽短，正是河豚欲上时。
——宋·苏轼《惠崇春江晚景》

乌鸟投林过客稀，前山烟暝到柴扉。
小童一棹舟如叶，独自编阑鸭阵归。
——宋·范成大《四时田园杂兴》

春草细还生，春雏养渐成。茸茸毛色起，应解自呼名。
——元·揭傒斯《画鸭》

磊落东阳笔下姿，风流崔白未成诗。
鹅群本是王家帖，传过羲之又献之。
——明·沈周《花下睡鹅图》

偃素循墨林，巽寂澄洞览。幽叩缈无垠，趣理神可感。剖静汲动机，披辉暨掬闇。洪桃其屈盘，炫烨乎郁焰。布护靡间疏，丽芬欲蘩敛。羽泛悦清渊，貌象媚潋滟。纯碧系游情，爱嬉亦爰揽。晴垧荡流温，灵照薄西崦。真会崇优明，修荣憓翳奄。
——清·华嵒《桃潭浴鸭图》

枝上双栖鸟，高鸣整羽翰。愿将和合意，长共百年欢。

——现代·唐云《双栖图》

【其他】

飞唤行摇类急难，野田寒露欲成团。
莫言四海皆兄长，骨肉而今冷眼看。

——明·唐寅《败荷鹡鸰图》

海棠枝上白头公，头映花枝转觉红。
恰似老夫高兴在，醉欹纱帽颔春风。

——明·唐寅《堂上双白头图》

疏枝嫩叶渡清风，小鸟多情立露丛。
为说寿阳当日事，于今犹见白头翁。

——清·华嵒《梅竹白头翁图》

鱼虫走兽

【龙蛇类】

屯余车其千乘兮，齐玉轪而并驰。
驾八龙之婉婉兮，载云旗之委蛇。
抑志而弭节兮，神高驰之邈邈。
——春秋战国·屈原《离骚》

象实巨兽，有蛇吞之。越出其骨，三年为期，厥大何如，屈生是疑。
——魏晋·郭璞《巴蛇赞》

蠢蠢万生，咸以类长。惟蛇之君，是谓巨蟒。小则数寻，大或百丈。
——魏晋·郭璞《蟒蛇赞》

长蛇百寻，厥鬣如彘。飞群走类，靡不吞噬。极物之恶，尽毒之厉。
——魏晋·郭璞《长蛇赞》

腾蛇配龙，因雾而跃。虽欲升天，云龙陆莫。材非所任，难以久托。
——魏晋·郭璞《腾蛇赞》

夔称一足，蛇则二首。少不知无，多不觉有。虽资天然，无异骈拇。
——魏晋·郭璞《枳蛇赞》

衔烛耀幽都，含章拟凤雏。西秦饮渭水，东洛荐河图。
带火移星陆，升云出鼎湖。希逢圣人步，庭阙正晨趋。

——唐·李峤《龙》

龙行踏绛气，天半语相闻。混沌疑初判，洪荒若始分。

——唐·阎朝隐《奉和登骊山应制》

诏谓将军拂绢素，意匠惨淡经营中。斯须九重真龙出，一洗万古凡马空。

——唐·杜甫《丹青引赠曹将军霸》

天昏地黑蛟龙移，雷惊电激雄雌随。清泉百丈化为土，鱼鳖枯死吁可悲。

——唐·韩愈《龙移》

黑潭水深黑如墨，传有神龙人不识。潭上驾屋官立祠，龙不能神人神之。

——唐·白居易《黑潭龙》

巴蛇千种毒，其最鼻褰蛇。掉舌翻红焰，盘身蹙白花。喷人竖毛发，饮浪沸泥沙。欲学叔敖瘗，其如多似麻。

——唐·元稹《巴蛇》

石激悬流雪满湾，五龙潜处野云闲。暂收雷电九峰下，且饮溪潭一水间。

——唐·韦庄《龙潭》

潺潺出乱峰，演漾绿萝风。浅濑寒难涉，危槎路不通。
朝云起潭侧，飞雨遍江中。更欲寻源去，山深不可穷。
——宋·欧阳修《龙溪》

育德知何宅，逢辰或见灵。配干虽有象，作解本无形。
浃物周寰宇，遗功在杳冥。丹青如可状，试下叶公庭。
——宋·韩崎《咏龙诗》

成都六月天大风，发屋动地声势雄。
黑云崔嵬行风中，凛如鬼神塞虚空。
霹雳迸火射地红，上帝有命起伏龙。
龙尾不卷曳天东，壮哉雨点车轴同。
山摧江溢路不通，连根拔出千尺松。
未言为人作年丰，伟观一洗芥蒂胸。
——宋·陆游《龙挂》

角莹纤琼鳞粲金，拥珠闲卧紫渊深。
时来天地云雷与，起作人间救旱霖。
——宋·朱淑真《卧龙》

骑元气，游太空。普厥施，收成功。扶河汉，触华嵩。
——宋·陈容《云龙图》

画龙天下称所翁，秃笔光照骊珠宫。
长廊白日走云气，大厦六月生寒风。
兴来一饮酒一石，手提玄兔追霹雳。

涨天烟雾晴不收，头角峥嵘出墙壁。
全角具体得者稀，今日海边亲见之。
满堂光焰动鳞甲，倒挟海水空中飞。
凌风直上九天去，天下苍生望甘雨。
太平天子居九重，黍稷穰穰千万古。
——元·萨都剌《题陈容墨龙图》

蛟龙潜匿隐苍波，且与虾蟆作混和。
等待一朝头角就，撼摇霹雳震山河！
——元·完颜亮《咏龙诗》

【虾蟹龟鳖类】

神龟虽寿，犹有竟时。腾蛇乘雾，终为土灰。
老骥伏枥，志在千里。烈士暮年，壮心不已。
盈缩之期，不但在天。养怡之福，可得永年。
幸甚至哉，歌以咏志。
——魏晋·曹操《龟虽寿》

未游沧海早知名，有骨还从肉上生。
莫道无心畏雷电，海龙王处也横行。
——唐·皮日休《咏蟹》

湖田十月清霜堕，晚稻初香蟹如虎。
扳罾拖网取赛多，篾篓挑将水边货。
纵横连爪一尺长，秀凝铁色含湖光。

蟛蜞石蟹已曾食，使我一见惊非常。
买之最厌黄髯老，偿价十钱尚嫌少。
漫夸丰味过蝤蛑，尖脐犹胜团脐好。
充盘煮熟堆琳琅，橙膏酱渫调堪尝。
一斗擘开红玉满，双螯啰出琼酥香。
岸头沽得泥封酒，细嚼频斟弗停手。
西风张翰苦思鲈，如斯丰味能知否？
物之可爱尤可憎，尝闻取刺于青蝇。
无肠公子固称美，弗使当道禁横行。

——唐·唐彦谦《蟹》

姑孰多紫虾，独有湖阳优。出产在四时，极美宜于秋。
双箝鼓繁须，当顶抽长矛。鞠躬见汤王，封作朱衣侯。
所以供盘餐，罗列同珍羞。蒜友日相亲，瓜朋时与俦。
既名钓诗钓，又作钩诗钩。于时同相访，数日承款留。
厌饮多美味，独此心相投。别来岁云久，驰想空悠悠。
衔杯动遐思，啰口涎空流。封缄托双鲤，于焉来远求。
慷慨胡隐君，果肯分惠否？

——唐·唐彦谦《索虾》

蝉眼龟形脚似蛛，未曾正面向人趋。
如今饤在盘筵上，得似江湖乱走无。

——五代·李贞白《咏蟹》

岸凉竹娟娟，水净菱帖帖。虾摇浮游须，鱼鼓嬉戏鬣。

释杖聊一愒，褰裳如可涉。自喻适志欤，翩然梦中蝶。

——宋·王安石《自喻》

偶然信手皆虚击，本不辞劳几万一。

一鱼中刃百鱼惊，虾蟹奔忙误跳掷。

——宋·苏轼《画鱼歌·湖州道中作》

怒目横行与虎争，寒沙奔火祸胎成。

虽为天上三辰次，未免人间五鼎烹。

——宋·黄庭坚《秋冬之间鄂渚绝市无蟹今日偶得数枚》

海馔糖蟹肥，江醪白蚁醇。每恨腹未厌，夸说齿生津。

三岁在河外，霜脐常食新。朝泥看郭索，暮鼎调酸辛。

趋跄虽入笑，风味极可人。忆观淮南夜，火攻不及晨。

横行葭苇中，不自贵其身。谁怜一网尽，大去河伯民。

鼎司费万钱，玉食罗常珍。吾评扬州贡，此物真绝伦。

——宋·黄庭坚《次韵师厚食蟹》

量才不数制鱼额，四海神交顾建康。

但见横行疑长躁，不知公子实无肠。

——宋·陈与义《咏蟹》

旧交髯簿久相忘，公子相从独味长。
醉死糟丘终不悔，看来端的是无肠。

——宋·陆游《糟蟹》

钳芦何处去，输与海中神。

——明·徐渭《鱼蟹图·蟹》

兀然有物豪气粗，莫问年来珠有无。
养就孤标人不识，时来黄甲独传胪。

——明·徐渭《黄甲图》

桂靄桐阴坐举殇，长安涎口盼重阳。
眼前道路无经纬，皮里春秋空黑黄。
酒未敌腥还用菊，性防积冷定须姜。
于今落釜成何益，月浦空余禾黍香。

——清·曹雪芹《红楼梦·螃蟹咏》

池有荇藻，濯濯香流。虾黾跳跃，其乐悠悠。

——清·华喦《花卉动物图册·虾蛙》

秋来风味忆吴中，苇港芦洲蟹簖同。
却忆故园诸弟妹，菊花五色笑篱东。

——清·邵梅臣《画耕偶录·为程石邻画螃蟹》

蟹满初满菊花园，家酿新开九月天。
兄弟在家贫亦乐，浪游笑我一年年。

——清·邵梅臣《画耕偶録·为舍弟则三画螃蟹菊花》

泥水风凉又立秋，黄沙曬日正堪愁。

草虫也解前头阔，趁此山溪有细溪。

——现代·齐白石《山溪群虾》

鱼龙不见，虾蟹偏多，草没泥浑奈汝何。

——现代·齐白石《鱼龙不见虾蟹多》

有酒有蟹，偷醉何妨，老年不暇为谁忙。

——现代·齐白石《酒蟹图》

菊花开也蟹初肥，君不饮，计已非。

——现代·齐白石《篓蟹》

左手持霜螯，右手把酒杯，其乐何为。

——现代·齐白石《篓蟹》

肥蟹肥蟹，同味宜酒。山客编蒲，何以不走。

——现代·齐白石《螃蟹》

多足乘潮何处投，草泥乡里合勾留。
秋风行出残蒲界，自信无肠一辈羞。

——现代·齐白石《螃蟹》

无肠芒角独披离，怒目琴声更一奇。
待到橙黄秋欲老，横行沧海几多时。

——现代·袁文蔚《题齐白石螃蟹图》

【鱼类】

江南可采莲，莲叶何田田。鱼戏莲叶间，鱼戏莲叶东，鱼戏莲叶西，鱼戏莲叶南，鱼戏莲叶北。

——南北朝·沈约《宋书·乐志·江南》

西塞山前白鹭飞，桃花流水鳜鱼肥。青箬笠，绿蓑衣，斜风细雨不须归。

——唐·张志和《渔歌子》

跳跃深池四五秋，常摇朱尾弄纶钩。无端摆断芙蓉朵，不得清波更一游。

——唐·薛涛《十离诗·鱼离池》

潭中鱼可百许头，皆若空游无所依。日光下澈，影布石上。佁然不动，俶尔远逝。往来翕忽，似与游者相乐。

——唐·柳宗元《永州八记·小石潭记》

西塞山边白鹭飞，散花洲外片帆微，桃花流水鳜鱼肥。自庇一身青箬笠，相随到处绿蓑衣，斜风细雨不须归。

——宋·苏轼《浣溪沙》

渔人养鱼如养雏，插竿冠笠惊鹈鹕。岂知白挺闹如雨，搅水觅鱼嗟已疏。

——宋·苏轼《画鱼歌·湖州道中作》

满纸寒腥吹鬣风，素鳞飞出墨池空。

生憎浮世多肉眼，谁解凡妆是白龙。

——明·徐渭《鱼蟹图卷·鱼》

风微不动萍，红雨洒花津。跳波鱼出藻，搅碎一池春。

——清·恽寿平《摹刘寀落花戏鱼图》

菰叶翠相结，藻影青可怜，鲦鱼游其间。愿得惠子兮，从我于濠上之观兮。

——清·恽寿平《荻港游鱼图》

忽见轻鲦初出水，落花如雪过回塘。

——清·恽寿平《落花游鱼图》

玉女盘从华岳开，断山还带旧时苔。新移白石连烟种，听曲红鱼出藻来。

——清·恽寿平《金鱼》

夜目射寒星，冰鳞刺秋水。不因跋浪游，自爱翻风起。

——清·华喦《花卉动物图册·鲤鱼》

双井旧中河，明月时延伫。黄家双鲤鱼，为龙在何处。

——清·金农《人物山水图册》

三十六鳞一出渊，雨师风伯总无权。南阡北陌槔声急，喷沫崇朝遍绿田。

——清·李方膺《游鱼图》

鱼自倏倏月自圆，空空妙手说龙眠。道人阅罢衔杯笑，正读南华秋水篇。

——清·李鱓《游鱼荇藻图》

临水观鱼乐，鱼来水作纹。莲塘暗弄影，蒲蒲雨无声。

——现代·齐白石《鱼乐图》

草野之狸，云天之鹅。水边雏鸡，其奈鱼何？

——现代·齐白石《其奈鱼何》

池上有芙蓉，倒影来水中。水中有双鱼，浪碎芙蓉红。

——现代·齐白石《芙蓉小鱼》

【虫蛙类】

老翁真个似童儿，汲水埋盆作小池。一夜青蛙鸣到晓，恰如方口钓鱼时。

——唐·韩愈《盆池》

夜雨洗河汉，诗怀觉有灵。篱声新蟋蟀，草影老蜻蜓。静引闲机发，凉吹远思醒。逍遥向谁说，时注漆园经。

——唐·齐己《新秋雨后》

明月别枝惊鹊，清风半夜鸣蝉。稻花香里说丰年，听取蛙声一片。七八个星天外，两三点雨山前。旧时茅店社林边，路转溪桥忽见。

——宋·辛弃疾《西江月》

熠熠迎宵上，林间点点光。初疑星错落，浑讶火荧煌。着雨藏花坞，随风入画堂。儿童竞追扑，照字集书囊。

——宋·朱淑真《夏萤》

黄梅时节家家雨，青草池塘处处蛙。
有约不来过夜半，闲敲棋子落灯花。

——宋·赵师秀《有约》

门外无人问落花，绿阴冉冉遍天涯。
林莺啼到无声处，青草池塘独听蛙。

——宋·曹豳《春暮》

吴刀断水水难分，藉景忘忧忧转频。
丹棘空长辞草鹿，白头犹见倚门人。
渐怜恶雪屠冬候，别字黄花扰馔辛。
叶上有虫秋唧唧，汝南伤别北堂辰。

——明·徐渭《花卉杂画卷·萱草秋虫》

落笔若无意，淡淡几枝横。入夜闲闲尾，疑闻络纬声。

——清·杨晋《花鸟写生图卷·秋虫秋草》

秋虫一声鸣，白露净而冷。谁念怀珠人，清灯伴孤影。

——清·华嵒《花卉动物图册·蟋蟀》

江南水满，天蛙阁阁连声天。歌颂禾黍丰收，岁岁复年年。

——现代·潘天寿《江南水满图》

蛙多在南方，青草池塘，处处有声，如鼓吹也。

——现代·齐白石《群蛙蝌蚪》

羡君蔬食家乡饱，无事开门为听蛙。

——现代·齐白石《丝瓜青蛙》

满地红云桀菊英，题诗牵动故园情。
十年百仗家难想，可有山中纺织声。

——现代·齐白石《秋虫菊石图》

【蜻蜓类】

岸柳垂长叶，窗桃落细跗。花留蛱蝶粉，竹翳蜻蜓珠。

——南北朝·萧纲《晚日后堂》

无数蜻蜓齐上下，一双鸂鶒共沉浮。
东行万里堪乘兴，须向山阴上小舟。

——唐·杜甫《卜居》

穿花蛱蝶深深见，点水蜻蜓款款飞。
传语风光共流转，暂时相赏莫相违。

——唐·杜甫《曲江》

野池水满连秋堤，菱花结实蒲叶齐。

川口雨晴风复止，蜻蜓上下鱼东西。

——唐·王建《野池》

林树回葱蒨，笙歌入杳冥。湖光迷翡翠，草色醉蜻蜓。

鸟弄桐花日，鱼翻谷雨萍。从今留胜会，谁看画兰亭。

——唐·崔护《三月五日陪裴大夫泛长沙东湖》

新妆宜面下朱楼，深锁春光一院愁。

行到中庭数花朵，蜻蜓飞上玉搔头。

——唐·刘禹锡《和乐天春词》

高据襄阳播盛名，问人人道是诗星。

凉雨打低残菡萏，急风吹散小蜻蜓。

——唐·卢延让《吊孟浩然》

嫩绿堪裁红欲绽，蜻蜓点水鱼游畔。一霎雨声香四散，风飐乱。高低掩映千千万，总是凋零终有恨。

——宋·晏殊《渔家傲》

泉眼无声惜细流，树阴照水爱晴柔。

小荷才露尖尖角，早有蜻蜓立上头。

——宋·杨万里《小池》

蜻蜓款款浑如梦，都在镜花水月中。

——现代·高剑父《荷塘蜻蜓》

山窗晴午添奇稿，黄叶蜻蜓历乱飞。

——现代·高剑父《蜻蜓落叶》

秋影淡菰蒲，蜻蜓红瑟瑟。

——现代·高剑父《红蜻蜓》

【蝴蝶类】

复此从凤蝶，双双花上飞。寄语相知者，同心终莫违。

——南北朝·萧纲《咏英台化蝶句》

庄周梦胡蝶，胡蝶为庄周。一体更变易，万事良悠悠。乃知蓬莱水，复作清浅流。青门种瓜人，旧日东陵侯。

——唐·李白《古风》

茫茫南与北，道直事难谐。榆荚钱生树，杨花玉糁街。尘萦游子面，蝶弄美人钗。却忆青山上，云门掩竹斋。

——唐·李白《春感诗》

穿花蛱蝶深深见，点水蜻蜓款款飞。
传语风光共流转，暂时相赏莫相违。

——唐·杜甫《曲江》

粉翅嫩如水，绕砌乍依风。日高山露解，飞入菊花中。

——唐·王建《晚蝶》

汀洲白苹草，柳恽乘马归。江头楂树香，岸上蝴蝶飞。
酒杯箬叶露，玉轸蜀桐虚。朱楼通水陌，沙暖一双鱼。

——唐·李贺《追和柳恽》

杨花扑帐春云熟，龟甲屏风醉眼缬。东家蝴蝶西家飞，白骑少年今日归。

——唐·李贺《蝴蝶飞》

锦瑟无端五十弦，一弦一柱思华年。庄生晓梦迷蝴蝶，望帝春心托杜鹃。

——唐·李商隐《锦瑟》

雨前初见花间蕊，雨后全无叶底花。蛱蝶飞来过墙去，应疑春色在邻家。

——唐·王驾《晴景》

狂随柳絮有时见，舞入梨花何处寻。

江天春晚暖风细，相逐卖花人过桥。

——宋·谢逸《咏蝴蝶》

南园春半踏青时，风和闻马嘶。青梅如豆柳如眉，日长蝴蝶飞。花露重，草烟低，人家帘幕垂。秋千慵困解罗衣，画堂双燕栖。

——宋·欧阳修《阮郎归》

篱落疏疏一径深，树头花落未成阴。儿童急走追黄蝶，飞入菜花无处寻。

——宋·杨万里《宿新市徐公店》

枷花搦柳，知道东君留意久。惨绿愁红，憔悴都因一夜风。轻狂蝴蝶，拟欲扶持心又怯。要免离披，不告东君更告谁。

——宋·张孝祥《减字木兰花》

泛蒲既醉，写此适意。蝴蝶飞来，栩栩欲睡。

——明·项圣谟《蒲蝶图》

烟圃吟秋兴不孤，花间残梦绕庭芜。秋窗共掩南华卷，闲写滕王蛱蝶图。

——清·恽寿平《画蝶》

聚作梨梢白，轻挣柳絮狂。夜来花裹宿，通体牡丹香。

——清·华嵒《萱花蝴蝶图》

迷离蝶树千蝴蝶，衔尾如缨拂翠湉。不到蝶泉谁肯信，幢影幡盖蝶庄严。

——清·沙琛《上关蝴蝶泉》

轻须薄翼不禁风，教花扶着依。一枝又逐日痕空，都来几日中。曾有伴，去无踪，兰前种豆红。蜜官队里且从容，问心同不同。

——清·恽敬《画蝴蝶》

【蝉类】

垂緌饮清露，流响出疏桐。居高声自远，非是藉秋风。

——唐·虞世南《蝉》

西陆蝉声唱，南冠客思深。不堪玄鬓影，来对白头吟。露重飞难进，风多响易沉。无人信高洁，谁为表予心。

——唐·骆宾王《在狱咏蝉》

本以高难饱，徒劳恨费声。五更疏欲断，一树碧无情。薄宦梗犹泛，故园芜已平。烦君最相警，我亦举家清。

——唐·李商隐《蝉》

高树蝉声入晚云，不唯愁我亦愁君。
何时各得身无事，每到闻时似不闻。

——唐·雍陶《蝉》

明月别枝惊鹊，清风半夜鸣蝉。稻花香里说丰年，听取蛙声一片。
七八个星天外，两三点雨山前。旧时茅店社林边，路转溪桥忽见。

——宋·辛弃疾《西江月》

槐熏忽送清商怨，依稀正闻还歇。故苑愁深，危弦调苦，前梦蜕痕枯叶。伤情念别，是几度斜阳，几回残月。转眼西风，一襟幽恨向谁说。
轻鬓犹记动影，翠蛾应妒我，双鬓如雪。枝冷频移，叶疏犹抱，孤负好秋时节。凄凄切切，渐迤逦黄昏，砌蛩相接。露洗余悲，暮烟声更咽。

——宋·周密《齐天乐·蝉》

夕阳门巷荒城曲，清音早鸣秋树。薄剪绡衣，凉生鬓影，独饮天边风露。朝朝暮暮，奈一度凄吟，一番凄楚。尚有残声，蓦然飞过别枝去。
齐宫往事漫省，行人犹与说，当时齐女。雨歇空山，月笼古柳，仿佛旧曾听处。离情正苦，甚懒拂冰笺，倦拈琴谱。满地霜红，浅莎寻蜕羽。

——元·仇远《齐天乐·蝉》

高冠轻羽粪中虫，六月乘炎嘒露风。

一夜寒回千木落，噤声寂寂抱残丛。

——明·唐寅《寒蝉》

哀柳一蝉啼。

——明·徐渭《柳蝉》

蝉移低岸柳，月带晚江秋。

——清·华喦《秋月寒蝉图》

干枫十丈骨亭亭，上有青蝉唱不停。但苦声音太清妙，绝无人对夕阳听。

——清·华喦《干枫图》

秋声拂长林，寒蝉抱叶飞。

——清·华喦《秋蝉图》

【虎狮豹类】

猛虎潜深山，长啸自生风。人谓客行乐，客行苦心伤。

——南北朝·谢惠连《猛虎行》

车法肇宗周，鼷文阐大猷。还将君子变，来蕴太公筹。委质超羊鞟，飞名列虎侯。若令逢雨露，长隐南山幽。

——唐·李峤《豹》

寒亦不忧雪，饥亦不食人。人肉岂不甘，所恶伤明神。太室为我宅，孟门为我邻。百兽为我膳，五龙为我宾。

蒙马一何威，浮江一以仁。彩章耀朝日，爪牙雄武臣。高云逐气浮，厚地随声震。君能贾余勇，日夕长相亲。

——唐·储光羲《猛虎词》

南山北山树冥冥，猛虎白日绕村行。向晚一身当道食，山中麋鹿尽无声。年年养子在深谷，雌雄上下不相逐。谷中近窟有山村，长向村家取黄犊。五陵年少不敢射，空来林下看行迹。

——唐·张籍《猛虎行》

自去射虎得虎归，官差射虎得虎迟。独行以死当虎命，两人因疑终不定。朝朝暮暮空手回，山下绿苗成道径。远立不敢污箭镞，闻死还来分虎肉。惜留猛虎着深山，射杀恐畏终身闲。

——唐·王建《射虎行》

猛虎虽云恶，亦各有匹侪。群行深谷间，百兽望风低。身食黄熊父，子食赤豹麛。择肉于熊豹，肯视兔与狸。正昼当谷眠，眼有百步威。自矜无当对，气性纵以乖。朝怒杀其子，暮还食其妃。匹侪四散走，猛虎还孤栖。狐鸣门两旁，乌鹊从噪之。出逐猴入居，虎不知所归。

谁云猛虎恶，中路正悲啼。豹来衔其尾，熊来攫其颐。

猛虎死不辞，但惭前所为。虎坐无助死，况如汝细微。

故当结以信，亲当结以私。亲故且不保，人谁信汝为。

——唐·韩愈《猛虎行》

磨尔牙，错尔爪。狐莫威，兔莫狡，饥来吞噬取肠饱。横行不怕日月明，皇天产尔为生狞。前村半夜闻吼声，何人按剑灯荧荧。

——唐·齐己《猛虎行》

猛虎白日行，心闲貌扬扬。当路择人肉，罴猪不形相。

头重尾不掉，百兽自然降。暗祸发所忽，有机埋路傍。

徐行自踏之，机翻矢穿肠。怒吼震林丘，瓦落儿堕床。

已死不敢近，目睛射余光。虎勇恃其外，爪牙利钩铓。

人形虽羸弱，智巧乃中藏。恃外可摧折，藏中难测量。

英心多决烈，自信不猜防。老狐足奸计，安居穴垣墙。

穷冬听冰渡，思虑岂不长。引身入扱中，将死犹跳踉。

狐奸固堪笑，虎猛诚可伤。

——宋·欧阳修《猛虎》

莽莽风云，乾坤独啸。崛起山林，英雄写照。

——现代·高剑父《猛虎图》

山中夜读阴符罢，虎啸一声山月高。

——现代·高剑父《啸虎》

一啸风生百草枯，阴霾消处见於菟。
眼中颇觉妖狐静，不道相看是画图。

——现代·高剑父《虎》

阴壑寒生万木枯，野风猎猎卷黄蒿。
苍茫四顾人踪绝，虎啸一声山月高。

——现代·高剑父《月夜虎》

天地英雄气，只在此山中。循环不可测，林暗草惊风。

——现代·张善孖《设色绘虎图》

年年伏处在深山，名利关头视等闲。
啸风吟月随意事，听残瀑布水潺潺。

——现代·张善孖《设色绘虎图》

玉烟青湿白如幢，银湾晓转流天东。
溪汀眠鹭梦征鸿，轻涟不语细游溶。
层岫回岑复迭龙，苦篁对客吟歌筒。
——唐·李贺《溪晚凉》

【狼狐类】

辽东九月芦叶断，辽东小儿采芦管。
可怜新管清且悲，一曲风飘海头满。
海树萧索天雨霜，管声寥亮月苍苍。
白狼河北堪愁恨，玄兔城南皆断肠。
辽东将军长安宅，美人芦管会佳客。
弄调啾飕胜洞箫，发声窈窕欺横笛。
夜半高堂客未回，只将芦管送君杯。
巧能陌上惊杨柳，复向园中误落梅。
诸客爱之听未足，高卷珠帘列红烛。
将军醉舞不肯休，更使美人吹一曲。
——唐·岑参《裴将军宅芦管歌》

白狐向月号山风，秋寒扫云留碧空。

【鹿类】

涿鹿闻中冀，秦原辟帝畿。柰花开旧苑，萍叶蔼前诗。
道士乘仙日，先生折角时。方怀丈夫志，抗首别心期。

——唐·李峤《鹿》

麌获子鹿，畜之城陬。园有美草，池有清流。
但见蹶蹶，亦闻呦呦。谁知其思，岩谷云游。

——唐·韦应物《麌获子鹿》

条峰五老势相连，此鹿来从若个边。
别有野麋人不见，一生长饮白云泉。

——唐·贾岛《盐池院观鹿》

绕洞寻花日易销，人间无路得相招。
呦呦白鹿毛如雪，踏我桃花过石桥。

——唐·施肩吾《山中玩白鹿》

匆匆过三十，梦境日已蹙。谁知叹亡羊，但有喜得鹿。
本来作何面，认此逆旅屋。逢人吹布毛，出世不忍独。

——宋·陆游《和陈鲁山十诗》

【兔类】

上蔡应初击，平冈远不稀。目随槐叶长，形逐桂条飞。汉月澄秋色，梁园映雪辉。唯当感纯孝，郛郭引兵威。

——唐·李峤《兔》

新秋白兔大于拳，红耳霜毛趁草眠。天子不教人射杀，玉鞭遮到马蹄前。

——唐·王建《宫词》

迷踪在尘土，衣褐恋蓬蒿。有狡谁穷穴，中书惜拔毫。猎从原上脱，灵向月边逃。死作功勋戒，良弓合自弢。

——宋·梅尧臣《兔》

可笑常娥不了事，走却玉兔来人间。分寸不落猎犬口，滁州野叟获以还。霜毛蓸茸目睛殷，红绦金练相系擐。驰献旧守作异玩，况乃已在蓬莱山。月中辛勤莫捣药，桂旁杵臼今应闲。我欲拔毛为白笔，研朱写诗破公颜。

——宋·梅尧臣《永叔白兔》

天冥冥，云蒙蒙，白兔捣药姮娥宫。玉关金锁夜不闭，窜入涤山千万重。滁泉清甘泻大壑，滁草软翠摇轻风。渴饮泉，困栖草，滁人遇之丰山道。

网罗百计偶得之，千里持为翰林宝。
翰林酬酢委金璧，珠箔花笼玉为食。
朝随孔翠伴，暮缀鸾皇翼。
主人邀客醉笼下，京洛风埃不沾席。
群诗名貌极豪纵，尔兔有意果谁识。
天资洁白已为累，物性拘囚尽无益。
上林荣落几时休，回首峰峦断消息。

——宋·欧阳修《白兔》

水精为宫玉为田，姮娥缟衣洗朱铅。
宫中老兔非日浴，天使洁白宜婵娟。
扬须弭足桂树间，桂花如霜乱后前。
赤鸦相望窥不得，空疑两瞳射日丹。
东西跳梁自长久，天毕横施亦何有。
凭光下视罝网繁，衣褐纷纷漫回首。

去年惊堕滁山云，出入虚莽犹无群。
奇毛难藏果亦得，千里今以穷归君。
空衢险幽不可返，食君庭除嗟亦窘。
今序得为此兔谋，丰草长林且游衍。

——宋·王安石《信都公家白兔》

开我东阁门，坐我西阁床。脱我战时袍，着我旧时裳。当窗理云鬓，对镜帖花黄。出门看火伴，火伴皆惊忙。同行十二年，不知木兰是女郎。雄兔脚扑朔，雌兔眼迷离。双兔傍地走，安能辨我是雄雌？

——宋·郭茂倩《乐府诗集·木兰诗》

是谁貌取中山族，鹰隼无惊意思闲。
简策勋名真不恶，何妨拔颖利人间。

——明·文徵明《画兔》

夜月丝千缕，秋风雪一团。神游苍玉阙，身在烂银盘。

露下仙芝湿，香生月桂寒。姮娥如可问，欲乞万年丹。

——明·谢承举《白兔》

下第有刘贲，捉月无供奉。欲把问西飞，鹦鹉秦州陇。

——清·八大山人《杂画册·兔》

【猿猴类】

杳杳袅袅清且切，鹧鸪飞处又斜阳。相思岭上相思泪，不到三声合断肠。

——唐·常建《岭猿》

袅袅啼虚壁，萧萧挂冷枝。艰难人不见，隐见尔如知。

惯习元从众，全生或用奇。前林腾每及，父子莫相离。

——唐·杜甫《猿》

翠微云敛日沈空，叫彻青冥怨不穷。

连臂影垂溪色里，断肠声尽月明中。

静含烟峡凄凄雨，高弄霜天袅袅风。

犹有北山归意在，少惊佳树近房栊。

——唐·吴融《忆猿》

宿有乔林饮有溪，生来踪迹远尘泥。
不知心更愁何事，每向深山夜夜啼。

——唐·徐寅《猿》

挂月栖云向楚林，取来全是为清音。
谁知系在黄金索，翻畏侯家不敢吟。

——唐·张乔《长安赠猿》

万古西山只月明，画中依约晓猿鸣。幽人未去深
须听，一出世间无此声。

——元·刘因《猿月图》

猿猱于此好踞翻，大泽深山天地宽。
料得其中人罕到，常随海鹤伴高寒。

——清·任伯年《翠竹白猿图》

瑟瑟烟空暗复明，紫崖未上目疾生。
清宵忽听霜林响，知是苍猿拗树声。

——现代·张大千《长臂猿图》

别来岁岁总烟尘，梦里啼猿怨未申。
天下英雄君与操，三分割据又何人。

——现代·张大千《题谢稚柳槲树啼猿图》

【牛羊类】

羔羊之彼，素丝五𬘘。退食自公，委蛇委蛇。
羔羊之革，素丝五緎。委蛇委蛇，自公退食。
羔羊之缝，素丝五总。委蛇委蛇，退食自公。
——先秦·无名氏《诗经·国风·召南·羔羊》

绝饮惩浇俗，行驱梦逸材。仙人拥石去，童子驭车来。夜玉含星动，晨毡映雪开。莫言鸿渐力，长牧上林隈。
——唐·李峤《羊》

齐歌初入相，燕阵早横功。欲向桃林下，先过梓树中。在吴频喘月，奔梦屡惊风。不用五丁士，如何九折通。
——唐·李峤《牛》

远牧牛，绕村四面禾黍稠。陂中饥乌啄牛背，令我不得戏垄头。入陂草多牛散行，白犊时向芦中鸣。隔堤吹叶应同伴，还鼓长鞭三四声。牛牛食草莫相触，官家截尔头上角！
——唐·张籍《牧童词》

晓牧侵星大暑天，昼寻芳草绿荫眠。春牛不使冲残日，归来黄昏饮小川。
——宋·黄庶《咏牛诗》

朝耕草茫茫，暮耕水潏潏。朝耕及露下，暮耕连月出。自无一毛利，主有千箱实。睆彼天上星，空名岂余匹。

——宋·王安石《和圣俞农具诗·耕牛》

敕勒川，阴山下，天似穹庐，笼盖四野。
天苍苍，野茫茫，风吹草低见牛羊。

——宋·郭茂倩《乐府诗集·敕勒歌》

门外一溪清见底，老翁牵牛饮溪水。
溪清喜不污牛腹，岂畏践霜寒堕趾。
舍东土瘦多瓦砾，父子勤劳艺黍稷。
勿言牛老行苦迟，我今八十耕犹力。
牛能生犊我有孙，世世相从老故园。
人生得饱万事足，拾牛相齐何足言！

——宋·陆游《饮牛歌》

草绳穿鼻声柴扉，残嚅无人问是非。
春雨一犁鞭不动，夕阳空送牧儿归。

——元·宋无《老牛》

尔牛角弯环，我牛尾秃速。
共拈短笛与长鞭，南陇东冈去相逐。
日斜草远牛行迟，牛劳牛饥唯我知。
牛上唱歌牛下坐，夜归还向牛边卧。
长年牧牛百不忧，但恐输租卖我牛。

——明·高启《牧牛词》

春草平坡雨迹深，徐行斜日入桃林。

童儿放手无拘束，调牧于合已得心。

——明·沈周《卧游图册·春牛》

落落垂杨古岸，萋萋芳草汀洲。但愿老牛肥泽，何妨短笛嬉游。

——清·杨晋《牧牛图》

牛背儿童自放歌，头头注涧复逾坡。问渠何法牛驯扰，鞭挞无惊刍牧多。

——清·陆师《骑牛歌》

夕阳牛背影如山。

——清·任伯年《牧牛图》

运交华盖欲何求，未敢翻身已碰头。破帽遮颜过闹市，漏船载酒泛中流。横眉冷对千夫指，俯首甘为孺子牛。躲进小楼成一统，管他冬夏与春秋。

——现代·鲁迅《自嘲》

【马类】

駉駉牡马，在坰之野。薄言駉者，有驈有皇，有骊有黄，以车彭彭。思无疆思，马斯臧。
駉駉牡马，在坰之野。薄言駉者，有骓有駓，有骍有骐，以车伾伾。思无期思，马斯才。
駉駉牡马，在坰之野。薄言駉者，有驒有骆，有骝有雒，以车绎绎。思无斁思，马斯作。
駉駉牡马，在坰之野。薄言駉者，有骃有騢，有驔有鱼，以车祛祛。思无邪思，马斯徂。

——先秦·无名氏《诗经·颂·鲁颂·駉之什》

白马饰金羁，连翩西北驰。借问谁家子，幽并游侠儿。
少小去乡邑，扬声沙漠陲。宿昔秉良弓，楛矢何参差。
控弦破左的，右发摧月支。仰手接飞猱，俯身散马蹄。
狡捷过猴猿，勇剽若豹螭。边城多警急，胡虏数迁移。
羽檄从北来，厉马登高堤。长驱蹈匈奴，左顾陵鲜卑。
弃身锋刃端，性命安可怀？父母且不顾，何言子与妻？
名编壮士籍，不得中顾私。捐躯赴国难，视死忽如归。

——魏晋·曹植《白马篇》

骏骨饮长泾，奔流洒络缨。细纹连喷聚，乱荇绕蹄萦。

水光鞍上侧，马影溜中横。翻似天池里，腾波龙种生。

——唐·李世民《咏饮马》

天马本来东，嘶惊御史骢。苍龙遥逐日，紫燕迴追风。

明月来鞍上，浮云落盖中。得随穆天子，何假唐成公。

——唐·李峤《马》

风劲角弓鸣，将军猎渭城。草枯鹰眼疾，雪尽马蹄轻。

忽过新丰市，还归细柳营。回看射雕处，千里暮云平。

——唐·王维《观猎》

胡马大宛名，锋棱瘦骨成。竹批双耳峻，风入四蹄轻。

所向无空阔，真堪托死生。骁腾有如此，万里可横行。

——唐·杜甫《房兵曹胡马》

昔日龌龊不足夸，今朝放荡思无涯。

春风得意马蹄疾，一日看尽长安花。

——唐·孟郊《登科后》

骐骥生绝域，自矜无匹俦；牵躯入市门，行者不为留。

借问价几何？ 黄金比嵩丘； 借问行几何？ 咫尺视九州。
饥食玉山禾，渴饮醴泉水； 问谁能为御？ 旷日不可求。
惟昔穆天子，乘之极遐游； 王良执其辔，造父夹其辀。
因言天外事，芒惚使人愁。

——唐·韩愈《驽骥赠欧阳詹》

雪耳红毛浅碧蹄，追风曾到日东西。
为惊玉貌郎君坠，不得华轩更一嘶。

——唐·薛涛《十离诗·马离厩》

翩翩白马称金羁，领缀银花尾曳丝。
毛色鲜明人尽爱，性灵驯善主偏知。
免将妾换慚来处，试使奴牵欲上时。
不蹶不惊行步稳，最宜山简醉中骑。

——唐·白居易《公垂尚书以白马见寄，光洁稳善》

穆王八骏天马驹，后人爱之写为图。
背如龙兮颈如象，骨竦筋高脂肉壮。
日行万里速如飞，穆王独乘何所之？
四荒八极踏欲遍，三十二蹄无歇时。
属车轴折趁不及，黄屋草生弃若遗。
瑶池西赴王母宴，七庙经年不亲荐。
璧台南与盛姬游，明堂不复朝诸侯。
《白云》《黄竹》歌声动，一人荒乐万人愁。
周从后稷至文武，积德累功世勤苦。
岂知才及四代孙，心轻王业如灰土。

由来尤物不在大，能荡君心则为害。文帝却之不肯乘，千里马去汉道兴。穆王得之不为戒，八骏驹来周室坏。至今此物世称珍，不知房星之精下为怪。八骏图，君莫爱。

——唐·白居易《八骏图》

此马非凡马，房星本是星。向前敲瘦骨，犹自带铜声。

——唐·李贺《马诗》

大漠沙如雪，燕山月似钩。何当金络脑，快走踏清秋。

——唐·李贺《马诗》

伯乐向前看，旋毛在腹间。只今掊白草，何日蓦青山？

——唐·李贺《马诗》

重围如燕尾，宝剑似鱼肠。欲求千里脚，先采眼中光。

——唐·李贺《马诗》

多少恨，昨夜梦魂中。还似旧时游上苑，车如流水马如龙。花月正春风！

——五代·李煜《望江南》

东风夜放花千树，更吹落、星如雨。宝马雕车香满路，凤箫声动，玉壶光转，一夜鱼龙舞。

——宋·辛弃疾《青玉案·元夕》

忆昔秋风从翠华，腾骧万骑猎龙沙。
而今局踏蓬窗底，坐对此图空叹嗟。
——元・鲜于枢《题赵孟頫洗马图》

牵牵才情与世疏，等闲零落傍江湖。
不应泛驾终难用，闲看王孙骏马图。
——明・文徵明《题止所藏仲穆洗马图》

骐骥骅骝世有之，不逢伯乐自长嘶。
却凭笔貌千金骨，谁信相知是画师。
——明・唐寅《题赵仲穆洗马图》

扑面风沙行路难，昔年曾蹑五云端。
红鞯今敝雕鞍损，不与人骑更好看。
——清・金农《独马图》

江南霜白黄菊天，试望平原绿几千。
风茁草长肥塞马，颓云拱柳正吹绵。
——现代・谢稚柳《草原塞马图》

芳草得来且自饱，更须何计慰平生。
——现代・徐悲鸿《设色奔马图》

【犬猫类】

犬吠水声中，桃花带露浓。树深时见鹿，溪午不闻钟。
野竹分青霭，飞泉挂碧峰。无人知所去，愁倚两三松。

——唐·李白《访戴天山道士不遇》

日暮苍山远，天寒白屋贫。柴门闻犬吠，风雪夜归人。

——唐·刘长卿《逢雪宿芙蓉山主人》

只见山相掩，谁言路尚通。人来千嶂外，犬吠百花中。
细草香飘雨，垂杨闲卧风。却寻樵径去，惆怅绿溪东。

——唐·刘长卿《过横山顾山人草堂》

寂寂孤莺啼杏园，寥寥一犬吠桃源。
落花芳草无寻处，万壑千峰独闭门。

——唐·刘长卿《过郑山人所居》

君王台榭枕巴山，万丈丹梯尚可攀。
春日莺啼修竹里，仙家犬吠白云间。

——唐·杜甫《滕王亭子》

驯扰朱门四五年，毛香足净主人怜。
无端咬着亲情客，不得红丝毯上眠。

——唐·薛涛《十离诗·犬离主》

秋来鼠辈欺猫死，窥瓮翻盘搅夜眠。
闻道狸奴将数子，买鱼穿柳聘衔蝉。

——宋·黄庭坚《乞猫》

养得狸奴立战功，将军细柳有家风。
一箪未厌鱼餐薄，四壁当令鼠穴空。

——宋·黄庭坚《谢周文之送猫儿》

似虎能缘木，如驹不伏辕。但知空鼠穴，无意为鱼餐。
薄荷时时醉，氍毹夜夜温。前生旧童子，伴我老山村。

——宋·陆游《得猫于近村以雪儿名之戏为作诗》

盐裹聘狸奴，常看戏座隅。时时醉薄荷，夜夜占氍毹。
鼠穴功方列，鱼餐赏岂无。仍当立名字，唤作小於菟。

——宋·陆游《赠猫》

吾家老乌圆，斑斑异今古。抱负颇自奇，不尚威与武。
坐卧青毡旁，优游度寒暑。岂无尺寸功？卫我书籍圃。
去年我移家，流离不宁处。孤怀聚幽郁，睹尔心亦苦。
时序忽代谢，世事无足语。花林蜂如枭，禾田鼠如虎。
腥风正摇撼，利器安可举？形影自相吊，卷舒忘尔汝。尸素慎勿惭，策勋或逢怒。

——元·王冕《画猫图》

偃草雄风势壮哉，怒猊腾掷下苍苔。于今社鼠应难捕，闲见花阴蛱蝶来。

——清·恽寿平《猫》

立残斜日禁园身，驰道风微不动尘。料得炎天休较猎，未须回顾按鹰人。

——清·恽寿平《猎犬诗题画·之一》

不用传书去复回，闲思狡兔立荒苔。知他得志围场日，肯避南山白额来。

——清·恽寿平《猎犬诗题画·之二》

只傍鹰师猎骑边，围场浅草每争先。中山东郭搜罗尽，可许闲所自在眠。

——清·恽寿平《题猎犬图·之一》

仰看娄宿在天隅，枉说非熊载后车。莫以功名轻狗监，也曾称赋荐相如。

——清·恽寿平《题猎犬图·之二》

泛览菖蒲花，那得同凡草。惟兹能引年，令人长寿考。对兹含笑花，谁似长年好。蔓草春风归，安得不速老。十载江南木，不识江南路。片片落花飞，来去知何处？

——清·黄慎《双猫图》

缱绻依人慧有余，长安俊物最推渠。故侯门第歌钟歇，犹办晨餐二寸鱼。
——清·龚自珍《忆北方狮子猫》

唤作乌龙使，佳名传至今。萧然无个事，独立女墙阴。
——现代·张善孖《设色绘犬图》

日当午，正深藏黠鼠。莫道猫儿太懒，睡虎虎。
——现代·潘天寿《正午睡猫图》

【其他】

汉祀应祥开，鲁郊西狩回。奇音中钟吕，成角喻英才。画像临仙阁，藏书入帝台。若惊能吐哺，为待凤凰来。
——唐·李峤《麟》

郁林开郡毕，维扬作贡初。万推方演梦，惠子正焚书。执燧奔吴战，量舟入魏墟。六牙行致远，千叶奉高居。
——唐·李峤《象》

导洛宜阳右，乘春别馆前。昭仪忠汉日，太傅翊周年。

列射三侯满，兴师七步旋。莫言舒紫褥，犹异饮清泉。

——唐·李峤《熊》

斜光照墟落，穷巷牛羊归。野老念牧童，倚杖候荆扉。雉雊麦苗秀，蚕眠桑叶稀。田夫荷锄立，相见语依依。

——唐·王维《渭川田家》

相见时难别亦难，东风无力百花残。
春蚕到死丝方尽，蜡炬成灰泪始干。
晓镜但愁云鬓改，夜吟应觉月光寒。
蓬山此去无多路，青鸟殷勤为探看。

——唐·李商隐《无题》

不论平地与山尖，无限风光尽被占。
采得百花成蜜后，为谁辛苦为谁甜。

——唐·罗隐《蜂》

曲曲平原霜气凉，疏林秋老栗拳张。
山鼷跳踯真堪喜，一饱何须问太仓。

——清·华嵒《花卉动物图册·松鼠山栗》

黄蜂乘春，采采声疾。盼得春归，伤哉割密。

——清·黄慎《蜜蜂图》

僧佛罗汉

【佛像类】

无物思量，万虑皆忘。坐两班、大众禅床。粗衣遮体，粝饭充肠。有一函经、一佛像、一炉香。功课寻常，道行非狂。
爱山中、白昼偏长。翠苔岩洞，绿竹山房。有一天风、一天月、一天凉。

——元·明本《行香子》

四序无穷，万物皆同。守空门、佛祖家风。香烟袅白，烛影摇红。对翠梧桐、金菡萏、玉芙蓉。潦倒山翁，少小顽童。天性而、一样疏慵。偶来尘世，忘却山中。有一枝梅、千竿竹、万年松。

——元·明本《行香子》

拈花微笑破檀唇，悟得尘埃色身相。
办取星冠与霞帔，天台明月礼仙真。

——明·唐寅《嗅花观音图》

幻有智悟，涉无尽波。一刹那间，坐见波罗。

——明·徐渭《莲舟观音图》

身披一领百衲衣，汝何所食痴而肥。
赤足踏遍大千界，扪腹箕踞心忘机。
看人名利牛马走，终日嘻嘻笑张口。
布袋中亦有乾坤，应访壶公结为友。

——近代·吴昌硕《布袋和尚图》

赤足行何苦，低眉事已非。披猖开杀戒，悲智见禅心。

龙汉风雷劫，修罗血肉飞。惟当持定力，我佛许皈依。

——近代·吴昌硕《无量寿佛图》

【罗汉类】

西岳高僧名贯休，孤情峭拔凌清秋。天教水墨画罗汉，魁岸古容生笔头。时捎大绢泥高壁，闭目焚香坐禅室。忽然梦里见真仪，脱下袈裟点神笔。高握节腕当空掷，窸窣毫端任狂逸。逡巡便是两三躯，不似画工虚费日。怪石安拂嵌复枯，真僧列坐连跏趺。形如瘦鹤精神健，顶似伏犀头骨粗。倚松根，傍岩缝，曲録腰身长欲动。看经弟子拟闻声，瞌睡山童疑有梦。不知夏腊几多年，一手支颐偏袒肩。口开或若共人语，身定复疑初坐禅。案前卧象低垂鼻，崖畔戏猿斜展臂。

芭蕉花里刷轻红，苔藓文中晕深翠。
硬筇杖，矮松床，雪色眉毛一寸长。
绳开梵夹两三片，线补衲衣千万行。
林间乱叶纷纷堕，一印残香断烟火。
皮穿木屐不曾拖，笋织蒲团镇长坐。
休公休公逸艺无人加，声誉喧喧遍海涯。
五七字句一千首，大小篆书三十家。
唐朝历历多名士，萧子云兼吴道子。
若将书画比休公，只恐当时浪生死。
休公休公始自江南来入秦，于今到蜀无交亲。
诗名画手皆奇绝，觑你凡人争是人。
瓦棺寺里维摩诘，舍卫城中辟支佛。
若将此画比量看，总在人间为第一。

——唐·欧阳炯《贯休应梦罗汉画歌》

一点墨漆，元无缝罅。罗汉云居，天上天下。
出入奋迅，三界无家。以除恼禅，打鼓弄琵琶。
沉却法船，留下戽斗。欲得不沉，戽干札漏。

——宋·黄庭坚《罗汉南公塔颂》

大阿罗汉宾度罗，奉持末后如来印。
日中一钵千家饭，处处作佛事饶益。
以我身心五分香，作光明云雨大千。
取火燃香世界主，能遍法界唯心办。

——宋·黄庭坚《南山罗汉赞》

如来宝杖降魔相，慈悲威怒震十方。
毒龙帖耳收雷霆，逆鳞可摩若家狗。
我法未尝恼众生，不令肆毒生恐怖。
但以本来悲愿力，情与无情共一家。

——宋·黄庭坚《南山罗汉赞》

人言怖魔像，非金亦非铁。若作世金铁，开士亦不现。

禅坐应念往，一钵千家供。顺佛遗敕故，不宣示神通。

有为中无为，火聚开莲花。无为中有为，甘露破诸熟。

魔子目怖畏，我无怖畏想。或欲坯熔之，为已富贵梯。

赖世主慈观，虎兕失爪角。或得野狐书，有字不可读。

狐涎着其心，字义皆炳然。却来观六经，全是颠倒想。今世青云士，慎莫作此解。

——宋·黄庭坚《铁罗汉颂》

大士神通超一切，果成道备栖觉地。
庞眉山立孰写真，水墨良因作游戏。
明窗棐几氍巾净，竹炉柏子香云细。
条绳乍解目增明，短幅溪藤联数纸。
当年意匠寄高远，惨淡风云生眼底。
穹岩怪石随步奇，岳鬼蛮奴凛生意。
僧繇未貌锦幪像，道子曾罢长安市。
手携贝多口忘言，瓶莹琉璃瞻舍利。
或嘿或语或慈威，亦蹑芒鞋将渡水。
天女献供颜如莲，结习自空花堕袂。
神闲态逸赞莫穷，墨妙笔精足珍秘。
萧然着我岩壑中，雁荡经行恍能识。
诗成倒挽两龙湫，不用韩公为画记。

——宋·李洪《题水墨罗汉》

千金不换，壁上阿罗汉。古怪清奇君细看，画是如来变现。天龙鬼物青红，断崖流水孤松。知在野芳亭上，恍然兜率天中。

——元·刘敏中《清平乐·野芳亭观画罗汉》

神通百变笑游戏，诸谛空来世所无。

——现代·高剑父《罗汉》

【僧道类】

吴江女道士，头戴莲花巾。霓衣不湿雨，特异阳台云。足下远游履，凌波生素尘。寻仙向南岳，应见魏夫人。

——唐·李白《江上送女道士褚三清游南岳》

见月出东山，上方高处禅。空林无宿火，独夜汲寒泉。不下蓝溪寺，今年三十年。

——唐·韦应物《上方僧》

新剃青头发，生来未扫眉。身轻礼拜稳，心慢记经迟。唤起犹侵晓，催斋已过时。春晴阶下立，私地弄花枝。

——唐·王建《贻小尼师》

眼看过半百，早晚扫岩扉。白首谁留住，青山自不归。

百千万劫障，四十九年非。会拟抽身去，当风抖擞衣。

——唐·白居易《寄山僧》

头发梳千下，休粮带瘦容。养雏成大鹤，种子作高松。

白石通宵煮，寒泉尽日春。不曾离隐处，那得世人逢。

——唐·贾岛《山中道士》

不饵住云溪，休丹罢药畦。杏花虚结子，石髓任成泥。

扫地青牛卧，栽松白鹤栖。共知仙女丽，莫是阮郎妻。

——唐·马戴《题女道士居》

万峰围绕一峰深，向此长修苦行心。

自扫雪中归鹿迹，天明恐被猎人寻。

——唐·陆龟蒙《头陀僧》

峨眉道士风骨峻，手把玉皇书一通。

东游借得琴高鲤，骑入蓬莱清浅中。

——唐·陆龟蒙《高道士》

独住大江滨，不知何代人。药垆生紫气，肌肉似红银。

酒酽竹屋烂，符收山鬼仁。何妨将我去，一看武陵春。

——唐·贯休《江边道士》

机谋时未有，多向弈棋销。已与山僧敌，无令海客饶。静驱云阵起，疏点雁行遥。夜雨如相忆，松窗更见招。

——唐·张乔《赠棋僧侣》

老头陀，古庙中，自烧香，自打钟。兔葵燕麦闲斋供。山门破落无关锁，斜日苍黄有乱松，秋星闪烁颓垣缝。

黑漆漆蒲团打坐，夜烧茶炉火通红。

——清·郑板桥《道情》

水田衣，老道人，背葫芦，戴袱巾。棕鞋布袜相厮称。修琴卖药般般会，捉鬼拿妖件件能，白云红叶归山径。闻说道悬岩结屋，却教人何处可寻？

——清·郑板桥《道情》

四大假名，三身何有。兀坐树下，示人以手。背触不得，能所胥忘。顶后圆相，具足真常。画马则非，画佛则是。水晶道人，犹着些子。大夫不言，广长无量。稽首掌中，如是供养。

——清·弘历《题赵孟頫红衣天竺僧》

蕉影漫天，绿阴铺地，参禅老衲，坐破蒲团，当非寻常，粥饭僧也。

——现代·冯超然《蕉阴参禅图》

慈悲心，峥嵘脸，渡江一苇，面壁九年，禅机如何，再返西天。

——现代·吴湖帆《达摩面壁图》

【钟馗类】

改岁钟馗在，依然旧绿襦。老庖供馎饦，跣婢暖屠苏。载糗送穷鬼，扶箕迎紫姑。儿童欺老瞶，明烛聚呼卢。

——宋·陆游《新岁》

朔风吹沙目欲迷，官柳摇金梅绽蕊。
终南进士崛然起，带束蓝袍靴露趾。
手制硬黄书一纸，若曰上帝赐尔祉。
猬磔于思含老齿，俯指守门荼与垒。

——明·文徵明《寒林钟馗图》

终南老馗状酕醄，虎靴乌弁鸭色袍。

上除唐家百年害，下受唐史千年褒。
猗形狞色使人怕，怕渠为百鬼中豪。
天晴日出不肯出，元夜始出为游遨。

——明·文徵明《寒林钟馗图》

轻车随风风飔飔，华灯纷错云团持。
跳拿叱咤真怪异，阿其髯者云钟馗。

——清·华嵒《钟馗嫁妹图》

五日终南进士家，深怀巨盎醉生涯。
笑他未嫁婵娟妹，已解宜男是好花。

——清·黄慎《钟馗嫁妹图》

什么东西？是纸扇，遮将面孔。可怜见，满腔恻隐，周身懵懂。黑地昏天翻旧谱，朝更暮改装冤桶。大老官，不费半文钱，凭挪动。仗师父，方填空，赖兄长，且增重。打灯笼，本有外甥承奉。细作神通军帐坐，娄罗鬼溷天门洞。凑眼前，节物写端阳，题词总。

——近代·赵之谦《钟馗戏鬼图》

美髯如公，三百六十酒场中，何处不相逢。头上乌纱，赐自天家。多少人看多少夸，好文章，换来人前摇摆，却不费一钱买。

——近代·吴昌硕《钟馗图》

破幅蓝袍事有无，年年点笔费工夫。
人间幽愤知多少，正要先生卤莽驱。

——现代·张大千《锺进士图》

戏扫烟邱成幻界，或如庐马凿生诗。
满场鬼子偷行乐，却趁先生瞌睡时。

——现代·唐云《先生瞌睡图》

【其他】

玄元九仙主，道冠三气初。应物方佐命，栖真亦归居。贻篇训终古，驾景还太虚。孔父叹犹龙，谁能知所如。

——唐·吴筠《高士咏·混元皇帝》

广成卧云岫，缅邈逾千龄。轩辕来顺风，问道修神形。至言发玄理，告以从杳冥。三光入无穷，寂默返太宁。

——唐·吴筠《高士咏·广成子》

南华源道宗，玄远故不测。动与造化游，静合太和息。

放旷生死外，逍遥神明域。况乃资九丹，轻举归太极。

——唐·吴筠《高士咏·南华真人》

冲虚冥至理，体道自玄通。不受子阳禄，但饮壶丘宗。泠然竟何依，挠挑游大空。未知风乘我，为是我乘风。

——唐·吴筠《高士咏·冲虚真人》

谁道铁拐，形跛长年。芒鞋何处？醉倒华颠。

——清·黄慎《铁拐醉眠图》

吞云作雾遍天涯，不问人间路几赊。摄着芒鞋双足健，手中都是十洲花。

——清·黄慎《铁拐拈花图》

煌煌南极老人星，长代虚皇梦锡龄。三尺形躯身首半，过头拄杖挂丹经。

——现代·陈少梅《寿星》

文人仕女

【高士类】

荣期信知止，带索无所求。外物非我尚，琴歌自优游。三乐通至道，一言醉孔丘。居常以待终，啸傲夫何忧。

——唐·吴筠《高士咏·荣启期》

汉皇敦故友，物色访严生。三聘迨深泽，一来遇帝庭。紫宸同御寝，玄象验客星。禄位终不屈，云山乐躬耕。

——唐·吴筠《高士咏·严子陵》

东方禀易象，玩世隐廊庙。栖心抱清微，混迹秘光耀。玄览寄数术，纳规在谈笑。卖药五湖中，还从九仙妙。

——唐·吴筠《高士咏·东方曼倩》

庞公栖鹿门，绝迹远城市。超然风尘外，自得丘壑美。耕凿勤厥躬，耘锄课妻子。保兹永无患，轩冕何足纪。

——唐·吴筠《高士咏·庞德公》

卓哉弦高子，商隐独摽奇。效谋全郑国，矫命犒秦师。赏神义不受，存公灭其私。虚心贵无名，远迹居九夷。

——唐・吴筠《高士咏・郑商人弦高》

坐酌泠泠水，看煎瑟瑟尘。
无由持一盘，寄与爱茶人。
——唐・白居易《山泉煎茶有怀》

志在新奇无定则，古瘦漓𬙊早无墨。
醉来信手两三行，醒后却书书不得。
——唐・许瑶《题怀素上人草书》

吾爱李太白，身是酒星魄。口吐天上文，迹作人间客。磥砢千丈林，澄澈万寻碧。醉中草乐府，十幅笔一息。召见承明庐，天子亲赐食。醉曾吐御床，傲几触天泽。权臣妒逸才，心如斗筲窄。失恩出内署，海岳甘自适。刺谒戴接幂，赴宴着縠屦。诸侯百步迎，明君九天忆。竟遭腐胁疾，醉魄归八极。大鹏不可笼，大椿不可植。蓬壶不可见，姑射不可识。五岳为辞锋，四溟作胸臆。惜哉千万年，此俊不可得。
——唐・皮日休《七爱诗・李翰林》

吾爱白乐天，逸才生自然。谁谓辞翰器，乃是经纶贤。欻从浮艳诗，作得典诰篇。立身百行足，为文六艺全。
清望逸内署，直声惊谏垣。所刺必有思，所临必可传。
忘形任诗酒，寄傲遍林泉。所望标文柄，所希持化权。
何期遇訾毁，中道多左迁。天下皆汲汲，乐天独怡然。
天下皆闷闷，乐天独舍旃。高吟辞两掖，清啸罢三川。
处世似孤鹤，遗荣同脱蝉。仕若不得志，可为龟镜焉。

——唐·皮日休《七爱诗·白太傅》

天恐文人未尽才，常教零落在蒿莱。
不为千载离骚计，屈子何由泽畔来？

——宋·陆游《读唐人愁诗戏作》

踏破溪边一经苔，好山好竹少人来。
有梅花处惜无酒，三嗅清香当一杯。

——宋·戴复古《山中有梅》

昔人好沉酣，人事不复理。但进杯中物，应世聊而耳。
悠悠天地间，愉乐本无愧。诸贤各有心，流俗无轻议。

——元·钱选《竹林七贤图》

连江修竹静郊居，门外阴阴千亩余。
直节不移高士操，息交那与俗人书。
卧听翠雨飞瓴甋，笑挹清风过绮疏。

却扫红尘喧境寂，岁寒分席待樵渔。
——元·王冕《徐竹隐》

洛阳城里三尺雪，闭户登床亦偶然。
若使当时不相过，千年谁识二公贤。
——元·萨都剌《题赵孟頫卧雪图》

草庐三顾屈英雄，慷慨南阳起卧龙。
鼎足未安星又陨，阵图留与浪涛春。
——明·唐寅《三顾草庐图》

曾礼文昌读化书，桂香锡嗣语非虚。
眉山轼辙分明事，羡尔熊罴入梦初。
——明·唐寅《人物图》

约阁江梅远近山，一天风月绕柴关。
休言鸟断人踪绝，觅句逋仙正不闲。
——明·唐寅《和靖图》

三朋古称寿，七秩世云稀。洗爵传浮白，悬鱼看赐绯。
华筵盛宾从，诞节好春晖。不醉歌毋返，无强共所祈。
青云连凤阁，白发映鱼矶。山色浮南岳，星辰近少微。
锦开花里幛，彩戏膝前衣。大老兼尊德，吾将同所归。
——明·唐寅《涧上清吟图》

想其仪影，摹其乐趣。观嵇康之友六人，或歌或饮，或书或琴，优游自乐。吁，曲肱饮水，浴沂舞雩，岂外是哉！

——明·郁逢庆《郁氏书画题跋记·钱舜举竹林七贤图》

心如沧州云，貌比商山皓。置君丘壑中，云气更深杳。

——清·恽寿平《题髯公松下抱孙像》

生平梦梦扬州路，来往空空白鹤归。
六水三山惟浣带，烟霞还淬旧时衣。

——清·黄慎《和靖调鹤图》

老书生，白屋中，说黄虞，道古风。许多后辈高科中。门前仆从雄如虎，陌上旌旗去似龙，一朝势落成春梦。倒不如蓬门僻巷，教几个小小蒙童。

——清·郑板桥《道情》

浮云高士节，枯木道人心。

——清·石涛《画古木寒塘野老独行》

雪后园林玉作堆，寻诗人自倚妆台。
漫因咏絮夸风调，不少深闺谢女才。

——清·徐容《踏雪寻诗图》

猎猎西风扑面尖，打来黄叶共添愁。
多因怕见天边月，篝火寒窗早下帘。

——清·徐容《秋窗读易图》

空山寂寂无啼鸟，卧听松涛漱石寒。

——现代·冯超然《高士图四屏·之四》

手种芭蕉满屋除，清阴如水正须渠。
殷勤嘱咐休轻剪，留与衰翁作草书。

——现代·张大千《芭蕉人物图》

手种芭蕉一尺径，更开莲蕊发素香。
遮天蔽日清阴满，醉墨还看草圣狂。

——现代·张大千《蕉阴避暑图》

坐中佳士，脱帽看诗。金樽酒满，明月雪时。

——现代·谢稚柳《雪斋图》

露叶烟梢绿几多，角巾蕙带近如何？

春风若论凌云价，绝忆当年旧永和。

——现代·谢稚柳《子猷看竹图》

三贤各有千秋在，坡老题诗故哑谩。
昔李今张寻所契，平常总当图画看。

——现代·沈尹默《题张大千仿李公麟三高图》

【仕女类】

艳色天下重，西施宁久微？朝为越溪女，暮作吴宫妃。贱日岂殊众，贵来方悟稀。邀人傅脂粉，不自着罗衣。君宠益娇态，君怜无是非。当时浣纱伴，莫得同车归。持谢邻家子，效颦安可希。

——唐·王维《西施咏》

仙女下，董双成，汉殿夜凉吹玉笙。曲终却从仙宫去，万户千门惟月明。

——唐·李白《桂殿秋》

自矜娇艳色，不顾丹青人。那知粉绘能相负，却使容华翻误身。上马辞君嫁骄虏，玉颜对人啼不语。北风雁急浮云秋，万里独见黄河流。纤腰不复汉宫宠，双蛾长向胡天愁。琵琶弦中苦调多，萧萧羌笛声相和。谁怜一曲传乐府，能使千秋伤绮罗。

——唐·刘长卿《王昭君歌》

由来咏团扇，今已值秋风。事逐时皆往，恩无日再中。早鸿闻上苑，寒露下深宫。颜色年年谢，相如赋岂工。

——唐·皇甫冉《婕妤怨》

筠竹千年老不死，长伴秦娥盖湘水。

蛮娘吟弄满寒空，九山静绿泪花红。
离鸾别凤烟梧中，巫云蜀雨遥相通。
幽愁秋气上青枫，凉夜波间吟古龙。
——唐·李贺《湘妃》

紫皇宫殿重重开，夫人飞入琼瑶台。
绿香绣帐何时歇？青云无光宫水咽。
翩联桂花坠秋月，孤鸾惊啼商丝发。
红壁阑珊悬佩珰，歌台小妓遥相望。
玉蟾滴水鸡人唱，露华兰叶参差光。
——唐·李贺《李夫人歌》

负郭依山一径深，万竿如束翠沉沉。
从来爱物都成癖，辛苦移家为竹林。
——唐·李涉《葺夷陵幽居》

云母屏风烛影深，长河渐落晓星沉。
嫦娥应悔偷灵药，碧海青天夜夜心。
——唐·李商隐《嫦娥》

毛延寿画欲通神，忍为黄金不顾人。
马上琵琶行万里，汉宫长有隔生春。
——唐·李商隐《王昭君》

家国兴亡自有时，吴人何苦怨西施。
西施若解倾吴国，越国亡来又是谁？
——唐·罗隐《西施》

学画宫眉细细长，芙蓉出水斗新妆。
只有一笑能倾国，不信相看有断肠。
——宋·欧阳修《鹧鸪天》

双黄鹄，两鸳鸯，迢迢云水恨难忘。
早知今日常相忆，不及从初莫作双。
——宋・欧阳修《鹧鸪天》

吴姬歌，歌声未转欢情多。飘然一曲入云去，樽前谁敢呼琵琶？
珍羞如山酒如海，余声袭人无奈何。无奈何，门外春风题柳花。
——元・王冕《吴姬曲》

吴姬舞，翠袖凌云步轻举。笑回不觅锦缠头，四坐金钱落如雨。
云烟转首无定期，紫燕黄鹂对人语。对人语，明年春风谁是主？
——元・王冕《吴姬曲》

沉香亭北春昼长，海棠睡起扶残妆。
清歌妙舞一时静，燕语莺声空断肠。
朱唇半启榴房破，胭清红注珍珠颜。
一点春酸入瓠犀，雪色鲛绡湿香吐。
九华帐里熏兰烟，玉肱曲枕珊瑚偏。
玉钗半脱翠蛾敛，龙髯天子空垂涎。
妾身虽倚君王侧，别有闲情向谁说？
断肠塞上锦绷儿，万恨千愁言不得。
成都遥晋新荔枝，金盘紫露甘如饴。
红尘一骑不成笑，病中风味心自知。
君不闻，华清宫，一齿作楚藏祸根。
又不闻，马嵬坡，一身溅血未足多。
渔阳一日鼙鼓动，始觉开元天下痛。
云台不见汉功臣，三十六牙何足用。
明眸皓齿今已矣，风流何处三郎李。

——元·萨都剌《华清曲题杨妃病齿图》

烦马萧萧驻西日，桂旗冉冉弋灵风。
潜川密约殷勤记，流水微辞婉转通。
佩玉有声山月小，袜尘无迹浦云空。
人间离合转眼事，还似高唐一梦中。
——明·沈周《洛神卷》

莲花冠子道人衣，日侍君王宴紫微。
花开不知人已去，年年斗绿与争绯。
——明·唐寅《孟蜀宫妓图》

融融温暖香肌体，牡丹芍药都难比。
钗垂宝髻甚娇羞，花雪飞散青霄里。
——明·唐寅《宫妃夜游图》

梦断碧纱橱，窗外闻鹈鴂。清怨托琵琶，怨极终难说。
——明·唐寅《琵琶美人图》

佳人春睡倚含章，一瓣梅花点额黄。
起对镜自添百媚，至今都学寿阳妆。
——明·唐寅《芭蕉仕女图》

秋来纨扇合收藏，何事佳人重感情？
请把世情详细看，大都谁不逐炎凉。
——明·唐寅《秋风纨扇图》

昨夜海棠初着雨，数朵轻盈娇欲语。
佳人晓起出兰房，折来对镜比红妆。
问郎花好奴颜好，郎道不如花窈窕。

佳人见语发娇嗔，不信死花胜活人。
将花揉碎掷郎前，请郎今夜伴花眠。
——明·唐寅《拈花微笑图》

玉箫堪弄处，人在凤凰楼。
——明·薛素素《吹箫仕女图》

翠羽声中春梦残，扑襟香雪影珊珊。
可知一样梅花骨，不畏东风料峭寒。
——清·费丹旭《攀梅仕女图》

黄昏笛里梅风起，蔓草罗裙地。
满阑红萼总宜簪，不道尊前销减去年心。
何郎词笔垂垂老，坐被花成恼。
月寒江露唤真真，一缕清愁犹着故枝春。
——清·任伯年《梅花仕女图》

睡起湘帘自上钩，避人双燕话春愁。
东风不信浑无力，如雪杨花吹满楼。
——清·徐容《画楼双燕图》

大王真英雄，姬亦奇女子。惜哉太史公，不纪美人死！
——清·吴永和《虞姬》

遗恨江东应未消，芳魂零落任风飘。
八千子弟同归汉，不负君恩是楚腰。
——清·何溥《虞美人》

鼎湖当日弃人间，破敌收京下玉关。

恸哭六军俱缟素，冲冠一怒为红颜。
红颜流落非吾恋，逆贼天亡自荒宴。
电扫黄巾定黑山，哭罢君亲再相见。
相见初经田窦家，侯门歌舞出如花。
许将戚里箜篌伎，等取将军油壁车。
家本姑苏浣花里，圆圆小字娇罗绮。
梦向夫差苑里游，宫娥拥入君王起。
前身合是采莲人，门前一片横塘水。
横塘双桨去如飞，何处豪家强载归。
此际岂知非薄命，此时唯有泪沾衣。
熏天意气连宫掖，明眸皓齿无人惜。
夺归永巷闭良家，教就新声倾坐客。
坐客飞觞红日暮，一曲哀弦向谁诉？
白晳通侯最少年，拣取花枝屡回顾。
早携娇鸟出樊笼，待得银河几时渡？
恨杀军书抵死催，苦留后约将人误。
相约恩深相见难，一朝蚁贼满长安。
可怜思妇楼头柳，认作天边粉絮看。
遍索绿珠围内第，强呼绛树出雕阑。
若非壮士全师胜，争得蛾眉匹马还？
蛾眉马上传呼进，云鬟不整惊魂定。
蜡炬迎来在战场，啼妆满面残红印。
专征萧鼓向秦川，金牛道上车千乘。
斜谷云深起画楼，散关月落开妆镜。
传来消息满江乡，乌桕红经十度霜。
教曲伎师怜尚在，浣纱女伴忆同行。
旧巢共是衔泥燕，飞上枝头变凤凰。
长向尊前悲老大，有人夫婿擅侯王。
当时只受声名累，贵戚名豪竞延致。
一斛明珠万斛愁，关山漂泊腰肢细。

错怨狂风扬落花，无边春色来天地。
尝闻倾国与倾城，翻使周郎受重名。
妻子岂应关大计，英雄无奈是多情。
全家白骨成灰土，一代红妆照汗青。
君不见馆娃初起鸳鸯宿，越女如花看不足。
香径尘生乌自啼，屧廊人去苔空绿。
换羽移宫万里愁，珠歌翠舞古梁州。
为君别唱吴宫曲，汉水东南日夜流！

——清·吴伟业《圆圆曲》

妾貌不如花貌好，爱河深浅费猜量。
郎情薄似蜻蜓翼，又逐残香过隔墙。

——现代·高剑父《潘妃》

秋千庭院又西风，吹尽寒香透碧栊。
为恐抱香枝上死，暗将颜色写秋容。

——现代·高剑父《画菊仕女》

梳罢伶俜懒画眉，为君归讯太迟迟。
劳心化作悉千缕，抽向灯前镜里时。

——现代·高剑父《晚妆图》

九朽初成百媚生，嗟予辜尽美人恩。
倘能有个分魂术，一帧名姝寄一人。

——现代·高剑父《百美图》

伴影带新愁，独倚熏笼思旧俦。

——现代·冯超然《梅花仕女图》

戏拈红豆调鹦鹉，谁识丹青九月工。

纵有含情天宝事，只须把酒祝东风。

——现代·冯超然《调鹦图》

天路迢遥何所之，朝从南游暮西池。
仙人莫谓无供给，餐罢玄霜食紫芝。

——现代·冯超然《仕女捧桃图》

东风何事苦淹留，带新愁，倚高楼，点点寒香飞向我心头。恰与缟衣仙子遇，拌疏影，冷清清，思旧俦，旧俦旧俦今在否？月一钩，云共流，梦也梦也，梦不到山近罗浮。翠蝶连翩，闲傍竹丛游。玉笛声声吹不醒，且独抱，此春俦，倚锦帱。

——现代·冯超然《仕女图》

霓裳一曲酒千钟，沉醉人扶雨露浓。
欲赋新词拟颜色，他年太液对芙蓉。

——现代·张大千《贵妃扶醉图》

拗花愿乞留春住，三月风光费凤鞋。
又是柳丝眉样碧，匆匆已换旧时怀。

——现代·谢稚柳《拗花仕女》

罗髻蓬松一段云，回眸秋水照人清。
饶他咳吐成珠玉，况是黄鹂百转声。

——现代·谢稚柳《四美图卷》

十三鸦鬓瑶钗股，十四芙蓉结丝缕。
十五当帘楼上头，樱桃乱落如红雨。
十六频回团扇风，下阶背立垂杨下。

——现代·谢稚柳《闲伫图戏效乐府》

【婴戏类】

殿阁森森气自清，不知人世有蓬瀛。
日长无事宫中乐，闲与诸姬伴戏婴。
——元·钱选《题戏婴图》

黄云复壁椒涂苏，银床水喷金蟾蜍。
宜男草生二月初，燕燕求友乌将雏。
芙蓉花冠金结楼，飘飘尽是瑶台侣。
宫中个个承主恩，岂复君王梦神女。
梅檀小殿吹天香，新兴髻子换宫妆。
中有一人类虢国，净洗脂粉青眉长。
百子图开翠屏底，戏弄哑哑未生齿。
侍奴两两舁锦朋，不是唐家绿衣子。
兰汤浴罢春昼长，金盘特泻荔枝浆。
雕笼翠哥手擎出，为爱解语通心肠。
宣州长史耽春思，工画伤春欠春意。
吴兴弟子广王风，六宫猫犬无相思。
君不见玉钗淫鼍戕汉孤，作歌请献螽斯图。
——元·杨维桢《六宫戏婴图》

芍药风栏侧，梧桐露井傍。娇婴争晚戏，少妇斗春妆。
共诧珠生蚌，还怜玉产冈。半披文锦褓，斜佩紫罗囊。
额发葳蕤短，胸胞细腻光。庭前王氏子，陌上卫家郎。
弱草身眠软，芳英手弄香。随人贪作剧，避伴学迷藏。
莫扑花蝴蝶，宜为蜡凤凰。涂添云母粉，浴试水沉汤。

麟送徐卿宅，兰生谢傅堂。爱均看总好，年并比谁长。骥种虽难匹，鹓雏已作行。欣君得此画，真是梦熊祥。

——明·高启《戏婴图》

【采摘类】

忆梅下西洲，折梅寄江北。单衫杏子红，双鬓鸦雏色。西洲在何处？两桨桥头渡。日暮伯劳飞，风吹乌臼树。树下即门前，门中露翠钿。开门郎不至，出门采红莲。采莲南塘秋，莲花过人头。低头弄莲子，莲子青如水。置莲怀袖中，莲心彻底红。忆郎郎不至，仰首望飞鸿。鸿飞满西洲，望郎上青楼。楼高望不见，尽日栏杆头。栏杆十二曲，垂手明如玉。卷帘天自高，海水摇空绿。海水梦悠悠，君愁我亦愁。南风知我意，吹梦到西洲。

——南北朝·徐陵《玉台新咏·西洲曲》

江南稚女珠腕绳，金翠摇首红颜兴。桂棹容与歌采菱。歌采菱，心未怡。翳罗袖，望所思。

——南北朝·萧衍《江南弄·采菱曲》

采莲归，绿水芙蓉衣，秋风起浪凫雁飞。桂棹兰桡下长浦，罗裙玉腕轻摇橹。叶屿花潭极望平，江讴越吹相思苦。相思苦，佳期不可驻，塞外征夫犹未还，江南采莲今已暮。今已暮，采莲花，渠今那必尽倡家。官道城南把桑叶，何如江上采莲花。莲花复莲花，花叶何稠迭。叶翠本羞眉，花红强似颊。佳人不在兹，怅望别离时。牵花怜共蒂，折藕爱连丝。故情无处所，新物徒华滋。不惜西津交佩解，还羞北海雁书迟。采莲歌有节，采莲夜未歇。正逢浩荡江上风，又值徘徊江上月。徘徊莲浦夜相逢，吴姬越女何丰茸！共问寒江千里外，征客关山路几重？

——唐·王勃《采莲曲》

荷叶罗裙一色裁，芙蓉向脸两边开。
乱入池中看不见，闻歌始觉有人来。

——唐·王昌龄《采莲曲》

若耶溪边采莲女，笑隔荷花共人语。
日照新妆水底明，风飘香袖空中举。
岸上谁家游冶郎，三三五五映垂杨。
紫骝嘶入落花去，见此踟蹰空断肠。

——唐·李白《采莲曲》

菱叶萦波荷飐风，藕花深处小舟通。
逢郎欲语低头笑，碧玉搔头落水中。

——唐·白居易《采莲曲》

菱池如镜净无波，白点花稀青角多。

时唱一声新水调，漫人道是采菱歌。

——唐·白居易《看采菱》

船动湖光滟滟秋，贪看年少信船流。
无端隔水抛莲子，遥被人知半日羞。

——唐·皇甫松《采莲子》

天容水色西湖好，云物俱鲜。鸥鹭闲眠，应惯寻常听管弦。
风清月白偏宜夜，一片琼田。谁羡骖鸾，人在舟中便是仙。

——宋·欧阳修《采桑子》

荷花开后西湖好，载酒来时。不用旌旗，前后红幢绿盖随。
画船撑入花深处，香泛金卮。烟雨微微，一片笙歌醉里归。

——宋·欧阳修《采桑子》

采菱拾翠，算似此佳名，阿谁消得。采菱拾翠，称使君知客。千金买、采菱拾翠，更罗裙、满把珍珠结。采菱拾翠，正髻鬟初合。真个、采菱拾翠，但深怜轻拍。一双手、采菱拾翠，绣衾下、抱着俱香滑。采菱拾翠，待到京寻觅。

——宋·苏轼《皂罗特髻》

采莲吴姝巧笑倩，小舟点破烟波面。
双头折得欲有赠，重重叶盖羞人见。

女伴相邀拾翠羽，归棹如飞那可许。
倾鬟障袖不应人，遥指石帆山下雨。
——宋·陆游《采莲曲》

秋江渺渺芙蓉香，秋江女儿将断肠。
绛袍春浅护云暖，翠袖日暮迎风凉。
鲤鱼吹浪江波白，霜落洞庭飞木叶。
荡舟何处采莲花，爱惜芙蓉好颜色。
——元·萨都剌《芙蓉曲》

【渔钓樵耕类】

少无适俗韵，性本爱丘山。误落尘网中，一去三十年。
羁鸟恋旧林，池鱼思故渊。开荒南野际，守拙归园田。
方宅十余亩，草屋八九间。榆柳荫后檐，桃李罗堂前。
暖暖远人村，依依墟里烟。狗吠深巷中，鸡鸣桑树颠。
户庭无尘杂，虚室有余闲。久在樊笼里，复得返自然。
——魏晋·陶渊明《归园田居》

曲岸深潭一山叟，驻眼看钩不移手。

世人欲得知姓名，良久问他不开口。笋皮笠子荷叶衣，心无所营守钓矶。料得孤舟无定止，日暮持竿何处归。

——唐·高适《渔父歌》

垂钓绿湾春，春深杏花乱。潭清疑水浅，荷动知鱼散。日暮待情人，维舟绿杨岸。

——唐·储光羲《杂咏·钓鱼湾》

西塞山前白鹭飞，桃花流水鳜鱼肥。青箬笠，绿蓑衣，斜风细雨不须归。

——唐·张志和《渔歌子》

钓台渔父褐为裘，两两三三舴艋舟。能纵棹，惯乘流，长江白浪不曾忧。

——唐·张志和《渔歌子》

青草湖中月正圆，巴陵渔父棹歌还。钓车子，橛头船，乐在风波不用仙。

——唐·张志和《渔歌子》

萧萧垂白发，默默讵知情。独放寒林烧，多寻虎迹行。暮归何处宿，来此空山耕。

——唐·韦应物《山耕叟》

千山鸟飞绝，万径人踪灭。孤舟蓑笠翁，独钓寒江雪。

——唐·柳宗元《江雪》

渔翁夜傍西岩宿，晓汲清湘燃楚竹。

烟销日出不见人，欸乃一声山水绿。
回看天际下中流，岩上无心云相逐。

——唐·柳宗元《渔翁》

白发沧浪上，全忘是与非。秋潭垂钓去，夜月叩船归。
烟影侵芦岸，潮痕在竹扉。终年狎鸥鸟，来去且无机。

——唐·杜牧《渔父》

垂竿朝与暮，披蓑卧横楫。不问清平时，自乐沧波业。
长畏不得闲，几度避游畋。当笑钓台上，逃名名却传。

——唐·苏拯《渔人》

樵夫貌饥带尘土，自言一生苦寒暑。
担头担个赤瓷罂，斜阳独立蒙笼坞。

——唐·贯休《樵叟》

不曾照青镜，岂解伤华发。至老未息肩，至今无病骨。
家风是林岭，世禄为薇蕨。所以两大夫，天年自为伐。

——唐·皮日休《樵叟》

浪花有意千重雪，桃李无言一队春。
一壶酒，一竿纶，世上如侬有几人？

——五代·李煜《渔父》

一棹春风一叶舟，一纶茧缕一轻钩。

花满渚，酒满瓯，万顷波中得自由。

——五代・李煜《渔父》

一担干柴古渡头，盘缠一日颇优游。
回来涧底磨刀斧，又作全家明日谋。

——宋・萧德藻《樵夫》

莫听穿林打叶声，何妨吟啸且徐行。
竹杖芒鞋轻胜马，谁怕？一蓑烟雨任平生。
料峭春风吹酒醒，微冷，山头斜照却相迎。
回首向来萧瑟处，归去，也无风雨也无晴。

——宋・苏轼《定风波》

石帆山下雨空蒙，三扇香新翠箬篷。
苹叶绿，蓼花红，回首功名一梦中。

——宋・陆游《渔父》

镜湖俯仰两青天，万顷玻璃一叶船。
拈棹舞，拥蓑眠，不作天仙作水仙。

——宋・陆游《渔父》

一竿风月，一蓑烟雨，家在钓台西住。
卖鱼生怕近城门，况肯到、红尘深处？
潮生理棹，潮平系缆，潮落浩歌归去。
时人错把比严光，我自是、无名渔父。

——宋・陆游《鹊桥仙》

意不在鱼，安用纶钓。烟波无际，渺然孤舟。
萍舟荻风，与之沉浮。共我睡者，其惟白鸥。

——清・恽寿平《秋江垂钓图》

乱柳垂溪阴，山云发幽赏。钓罢未收纶，高歌沧浪上。

——清・恽寿平《柳溪渔隐图》

老夫自是骑牛汉，一蓑一笠春江岸。
白发生来六十年，落日青山牛背看。
酷怜牛背隐于车，社饮陶陶夜到夜。
村中无虎豚犬闹，平圮小径穿桑麻。

——清·杨晋《王翚骑牛图》

不如收拾丝纶去，留得长竿钓巨鳌。

——清·黄慎《渔翁图》

渔翁晒网趁斜阳，渔妇携筐入市场。
换得城中盐菜米，其余沽酒出横塘。

——清·黄慎《渔翁渔妇图》

老渔翁，一钓竿，靠山崖，傍水湾。扁舟来往无牵绊。
沙鸥点点轻波远，荻港萧萧白昼寒，高歌一曲斜阳晚。
一霎时波摇金影，蓦抬头月上东山。

——清·郑板桥《道情》

老樵夫，自砍柴，捆青松，夹绿槐。茫茫野草秋山外。
丰碑是处成荒冢，华表千寻卧碧苔，坟前石马磨刀坏。
倒不如闲钱沽酒，醉醺醺山径归来。

——清·郑板桥《道情》

江滔滔，山巍巍，故乡虽好不容归。风斜斜，雨霏霏，此翁又欲知何处，流水桃源今已非。

——现代·齐白石《渔翁》

【品茶饮酒类】

结庐在人境，而无车马喧。问君何能尔？心远地自偏。采菊东篱下，悠然见南山。山气日夕佳，飞鸟相与还。此中有真意，欲辨已忘言。

——魏晋·陶渊明《饮酒》

莫隐深山去，君应到自嫌。齿伤朝水冷，貌苦夜霜严。渔去风生浦，樵归雪满岩。不如来饮酒，相对醉厌厌。

——唐·白居易《不如来饮酒》

莫学长生去，仙方误杀君。那将薤上露，拟待鹤边云。矻矻皆烧药，累累尽作坟。不如来饮酒，闲坐醉醺醺。

——唐·白居易《不如来饮酒》

今夕少愉乐，起坐开清尊。举觞酹先酒，为我驱忧烦。须臾心自殊，顿觉天地暄。连山变幽晦，绿水函晏温。蔼蔼南郭门，树木一何繁。清阴可自庇，竟夕闻佳言。尽醉无复辞，偃卧有芳荪。彼哉晋楚富，此道未必存。

——唐·柳宗元《饮酒》

寄花寄酒喜新开，左把花枝右把杯。
欲问花枝与杯酒，故人何得不同来？
——唐·司空图《故乡杏花》

九日山僧院，东篱菊也黄。俗人多泛酒，谁解助茶香。
——唐·皎然《九日与陆处士羽饮茶》

野泉烟火白云间，坐饮香茶爱此山。
岩下维舟不忍去，青溪流水暮潺潺。
——唐·灵一《与元居士青山潭饮茶》

桑苎柴桑一世豪，区区玩物亦徒劳。
品茶未及毁茶妙，饮酒何如止酒高？
——宋·陆游《戏述渊鸿渐遗事》

日长何所事，茗碗自赍持。料得南窗下，清风满鬓丝。
——明·唐寅《事茗图》

千载经纶一秃翁，王公谁不仰高风。
缘何坐所添丁惨，不住山中住洛中。
——明·唐寅《卢仝煎茶图》

【画像类】

迎旦东风骑蹇驴，旋呵冻手暖髯须。
洛阳无限丹青手，还有功夫画我无？
——唐·杜甫《画像题诗》

先生少也隐鹿门，爽气洗尽尘埃昏。
赋诗真可凌鲍谢，短褐岂愧公卿尊。
故人私邀伴禁直，诵诗不顾龙鳞逆。
风云感会虽有时，顾此定知毋枉尺。
襄江渺渺泛清流，梅残腊月年年愁。
先生一往今几秋，后来谁复钓槎头。
——宋·黄庭坚《题孟浩然画像》

长安落叶纷可扫，九陌北风吹马倒。
杜公四十不成名，袖里空余三赋草。
车声马声喧客枕，三百青铜市楼饮。
杯残朒冷正悲辛，仗内斗鸡催赐锦！
——宋·陆游《题少陵画像》

王母东门劣小儿，偷桃三度到瑶池。
群仙无处追踪迹，却自持来荐寿卮。
——明·唐寅《东方朔图》

满地风霜菊绽金，醉来还弄不弦琴。
南山多少悠悠意，千载无人会此心。
——明·唐寅《渊明图》

乌台十卷青蝇案，炎海三千白发臣。
人尽不堪公转乐，满头明月脱纱巾。

——明·唐寅《东坡小像》

旧画重题二十年，碧梧秋色尚依然。
而今点染浑忘却，老去聪明不及前。
——明·文徵明《桐阴高士图》

漠漠疏桐洒面凉，溅溅寒玉漱回塘。
马蹄不到清阴寂，始觉空山白日长。
——明·文徵明《碧梧高士图》

以云为水，因树为屋。春风自来，须眉尽绿。
桃花作饭，青芝可餐。万山深处，如此高寒。
清磬一声，斜阳无影。但闻妙香，已入禅定。
——清·改琦《钱东像》

先生瞌睡，睡着何妨。长安卿相，不来此乡。
绿天如幕，举体清凉。世间同梦，唯有蒙庄。
——现代·唐云《冬心先生像》

抱琴归去碧山空，一路松声雨鬓风。神识独游天地外，低眉宁肯谒王公。

——明·唐寅《抱琴归去图》

【其他】

慈母手中线，游子身上衣。临行密密缝，意恐迟迟归。谁言寸草心，报得三春晖。

——唐·孟郊《游子吟》

夜久万籁息，琴声愈幽寂。接引到清江，岩泉溜寒滴。

——宋·朱淑真《夏夜弹琴》

酒罢茶余思兀然，未能除得旧琴缘。临流试罢金徽拂，流水泠泠写七弦。

——明·唐寅《临流试琴图》